Não entre em pânico!

Dr. Roque Marcos Savioli

Não entre em pânico!

Editora Gaia

© Roque Marcos Savioli, 2007

1ª Edição, Editora Gaia, São Paulo 2008
1ª Reimpressão, 2014

Diretor Editorial
Jefferson L. Alves

Diretor de Marketing
Richard A. Alves

Gerente de Produção
Flávio Samuel

Coordenadora Editorial
Rita de Cássia Sam

Preparação
Lucas Carrasco

Revisão
Luicy Caetano

Capa
Eduardo Okuno

Foto de Capa
Brad Swonetz/zefa/Corbis/LatinStock

Projeto Gráfico
Reverson R. Diniz

Editoração Eletrônica
Luana Alencar

Dados Internacionais de Catalogação na Publicação (CIP)
(Câmara Brasileira do Livro, SP, Brasil)

Savioli, Roque Marcos
  Não entre em pânico! / Roque Marcos Savioli. – São Paulo : Gaia, 2008.

  Bibliografia
  ISBN 978-85-7555-158-5

  1. Ansiedade 2. Coração – Doenças – Aspectos psicossomáticos 3. Cura pela fé 4. Depressão mental – Aspectos psicossomáticos 5. Distúrbios do pânico 6. Distúrbios do pânico – Obras de divulgação 7. Médico e paciente I. Título.

  07-9330   CDD–610.722

Índice para catálogo sistemático:

1. Síndrome do pânico : Cura : Relatos pessoais : Ciências médicas   610.722

Direitos Reservados

Editora Gaia Ltda.
(uma divisão da Global Editora
e Distribuidora Ltda.)
Rua Pirapitingui, 111-A – Liberdade
CEP 01508-020 – São Paulo – SP
Tel.: (11) 3277-7999 – Fax: (11) 3277-8141
e-mail: gaia@editoragaia.com.br
www.editoragaia.com.br

Obra atualizada conforme o
Novo Acordo Ortográfico da Língua Portuguesa

Colabore com a produção científica e cultural.
Proibida a reprodução total ou parcial desta obra
sem a autorização do editor.

Nº de catálogo: **2959**

A nosso Deus, sempre presente em todos os momentos da nossa vida.

À minha amada Gisela, esposa dedicada e querida. Aos meus filhos, Caroline, Roque e Marcela, e ao meu neto, Matheus.

Agradecimentos

Ao poeta Álvaro Faria, que muito me honrou ao prefaciar esta obra.

Aos queridos amigos e funcionários do Instituto do Coração do Hospital das Clínicas da Faculdade de Medicina da Universidade de São Paulo, cuja dedicação e amor aos pacientes fazem jus ao slogan dos uniformes: "Incor – Ciência e Humanismo".

A você, querido(a) paciente, que possibilitou o substrato para que eu pudesse, com sua história, transmitir a outros a esperança e o caminho para a cura.

Sumário

Prefácio 11
Introdução 17
O pânico da ministra da Eucaristia 23
O que é Transtorno do Pânico? 31
Enfrentando os perigos! 37
Entendendo o pânico 41
O Mercedes-Benz de Mr. Vincent 53
A Santa Mônica de Alaor 69
Hipertensão arterial – a assassina silenciosa 73
Um pouco sobre a depressão, a doença do
    novo século 87
"Estou ficando velha, doutor!" 103
Menopausa: sinal de maturidade? 109
O vazio existencial de Daisy 119
Doutor, estou tremendo de medo! 123
Por que as pessoas têm medo? 129
A metanoia de Walter 135
Curiosidade pode matar! 145
Bibliografia 155

Prefácio

Antes de qualquer palavra, é preciso dizer da honra que tenho em prefaciar este livro do dr. Roque Marcos Savioli, um ser humano especial, absolutamente especial, em um tempo de negação, descaminhos e desencantamentos. Este, afinal, é o tempo e o mundo em que vivemos, em que o homem é prisioneiro de si mesmo diante das incertezas e das angústias cada vez mais evidentes.

Dr. Roque é um médico, mas sua missão vai além da medicina, por ser ele um homem de fé que lida com esse sentimento sempre em favor do próximo, daquele que necessita de uma palavra a fim de conseguir o equilíbrio necessário para viver.

Este novo livro *Não entre em pânico!*, na verdade, é uma continuação de suas outras obras, muitas delas publicadas em outros países, especialmente na Europa. Dr. Roque confessa que a medicina o encanta, mas deixa claro estar decepcionado pela impessoalidade de uma profissão antes catalogada como humana, mas que hoje se transformou – conforme ele afirma – em um segmento superespecializado com a evolução tecnológica, considerada ciência exata.

Onde entram o homem e sua vida nesse cenário?

Dr. Roque não esconde certa tristeza pelos caminhos atuais de quase tudo. Isso envolve também a medicina. Queixa-se da destruição total da relação entre o médico e o paciente, que – como observa – é fator fundamental no tratamento de uma pessoa enferma.

Neste livro, dr. Roque recorda-se de seus mestres, que também eram filósofos praticantes da medicina. Desenvolviam, então, a verdadeira arte de curar o ser humano de seus males. Consciente de sua autêntica missão de médico, dr. Roque assegura que o paciente não pode ser olhado apenas como um número, um ser quase sem identidade que, inferiorizado pela dor, não é respeitado como ser humano. E, nesse caso, um ser humano que necessita de cuidados especiais, incluindo, especialmente, o relacionamento.

Dr. Roque lamenta que a ordem atualmente seja pedir exames para tudo e que a medicina possa estar se resumindo a isso. O médico pede exames e, muitas vezes, nem sequer olha para o paciente que está à sua frente, mantendo uma distância que não pode haver. Perdeu-se a humanidade, perdeu-se o sentimento de solidariedade, perdeu-se a generosidade. O ato de estender as mãos praticamente não existe mais.

Em um de seus livros anteriores, *Milagres que a medicina não contou*, ele se referia a um grande número de pessoas que passam por seu consultório com queixas supostamente de origem cardiológica, mas que, na verdade, estão quase sempre relacionadas a alterações do estado emocional. E isso resulta, por exemplo, em síndrome do pânico, angústia, estresse e, especialmente, depressão: "A depressão é o mal do século XXI. A cada dia que passa, essa doença se torna mais presente, chegando a atingir mais de 15% da população mundial", diz ele, lembrando que há relatos sobre pessoas deprimidas em quase toda a história da medicina.

Cardiologista, dr. Roque esclarece que está surgindo o que ele chama de cardiologia comportamental e que o cardiologista do futuro será – ou tem de ser – um profissional com visão aberta para atender o paciente em todas as suas dimensões. Será então preciso voltar aos médicos filósofos de antigamente, que "viam o próximo à semelhança com o Criador".

Neste livro, dr. Roque conta histórias de pessoas aflitas e aborda os temas atuais da vida do homem, entre os quais o medo e o pânico, todos numa íntima relação com as doenças cardiovasculares. O pânico tem de ser tratado como doença. Doença de um tempo que inverteu quase tudo, especialmente seus valores, um tempo de absurda violência que envolve o ser humano numa competição existencial que não leva a lugar nenhum. Dr. Roque destaca, sempre, a importância da fé religiosa do doente para sua própria cura. É ela que, afinal, ajuda a medicina a cumprir sua missão de salvar vidas.

Para que se conheça bem o dr. Roque, basta citar o trecho de seu livro *Médico, graças a Deus!*, em que observa que o médico não pode demonstrar sua insegurança, incertezas e dúvidas aos pacientes. Lembra que às vezes o médico é obrigado a colocar uma máscara, como proteção: "Mas de vez em quando nos esquecemos de tirá-la e nos tornamos frios, incapazes de emitir ou demonstrar algum tipo de emoção", diz ele. Dr. Roque observa que essa é a imagem exterior do médico, um profissional frio, incapaz de participar do sofrimento do paciente.

Dr. Roque assinala: "Felizmente, essa *persona* de médico desapareceu da minha vida a partir do momento em que o homem novo surgiu pelas mãos de Jesus. Graças a Deus! Hoje não tenho nenhuma preocupação em chorar com meu paciente, em sentir sua dor e seu sofrimento, pois isso não denigre minha imagem profissional, ao contrário, eleva minha alma a Deus".

Essas palavras fazem o retrato fiel de um médico que sonha espiritualizar a medicina, tornando-a mais humana, mais próxima do doente. Isso equivale dizer mais próxima da própria vida.

As histórias relatadas em *Não entre em pânico!* representam, na realidade, uma mensagem de fé. O universo interior do ser humano não pode ser ignorado pela medicina que – infelizmente para todos nós – tantas vezes se distancia do enfermo e se resume a folhas de papel, números, exames, medicamentos. Falta a palavra amiga, a palavra de fé que aproxima, a palavra de afeto – falta o afeto.

Este livro, afinal, é mais uma lição de vida de um médico que possui uma trajetória rara em um mundo feito quase só de perversidades. Dr. Roque é médico. É amigo. É ser humano, especialmente um ser humano que compreende a dor e tem para essa dor a necessária palavra diante da aflição.

Uma das dedicatórias que fez na primeira página de seu livro anterior *Depressão: onde está Deus?* explica melhor a dedicação e a vida desse homem, missionário a caminhar planícies em favor do próximo. Diz o seguinte: "A Deus, criador de tudo e de todos, que pelo seu Espírito inspirou-me a viver imitando o Seu Filho, Jesus Cristo, o Médico dos Médicos".

Álvaro Alves de Faria
Jornalista, poeta e escritor
primavera 2007

Introdução

À primeira vista você deve estar achando muito estranho um cardiologista abordar assunto totalmente diverso de sua especialidade. Mas isso pode ser explicado quando, em uma de minhas consultas, uma paciente certa vez me disse:

– Doutor, desculpe estar me queixando para o senhor coisas que não têm nada a ver com o coração. Isso que sinto não é da sua parte, mas sim do psiquiatra.

Não foi a primeira vez que ouvi esse tipo de comentário dos pacientes, mas naquele dia soou muito forte. Então, mais tarde refleti com mais detalhes sobre o que havia acontecido.

Se, por um lado, a medicina atual me encanta, tendo em vista o grande avanço nesses últimos trinta anos – justamente na época em que me formei, fiz meu doutorado e pude acompanhar de perto toda a transformação da cardiologia –, por outro, deixa-me muito decepcionado, devido à impessoalidade de uma profissão antes catalogada como humana, mas hoje, por causa da superespecialização resultante da intensa evolução tecnológica, é considerada uma ciência exata.

A fragmentação é tão grande no ser humano que, infelizmente, trata-se a doença e não o indivíduo que sofre. Ele pode estar doente no corpo, no psiquismo ou no espírito. Mas mesmo assim, por pior que pareça, destruiu-se totalmente a relação médico-paciente, fator importantíssimo no resultado do tratamento médico.

Hoje as pessoas têm de três a quatro médicos, ou seja, não têm nenhum, pois no momento da emergência não sabe a quem recorrer.

Lembro-me com muita tristeza dos grandes mestres que tive nos bancos acadêmicos. Além de médicos, eram grandes filósofos e praticantes da medicina como verdadeira arte de curar por inteiro o ser humano.

Que saudade do prof. dr. Luís Carlos Fonseca, que nos ensinou os primeiros passos de Clínica Médica, do prof. dr. Luís Vénere Décourt, um dos maiores mestres que a cardiologia já viu, do prof. dr. Euryclides de Jesus Zerbini, formador de uma escola de cirurgiões que nos orgulha no mundo todo. Jamais esquecerei a figura paternal do meu grande conselheiro, amigo e mestre prof. dr. Ermelindo Del Nero Jr., que me ensinou os primeiros passos para a minha vida acadêmica e científica.

Esses e outros grandes mestres sempre me fizeram ver os pacientes não como números ou doenças, mas como seres humanos que sofrem as penúrias das enfermidades.

Ao escrever esta obra lembrei-me de um episódio engraçado que aconteceu comigo, logo nos primeiros meses do terceiro ano de medicina, quando iniciávamos o estudo da propedêutica médica, matéria que nos ensina a obter do paciente as informações necessárias para um diagnóstico correto, além de nos preparar para fazer um exame físico detalhado.

Em uma das aulas práticas, à beira do leito, com a colaboração dos pacientes, o professor deu-me o encargo de fazer o exame físico de um doente. Sua presença me deixou nervoso, pois tive medo de fazer algo errado, já que o professor catedrático era muito severo, rígido e de poucos amigos, mas um mestre de verdade.

Durante o exame, em dado momento, pedi ao paciente que abrisse a boca para examiná-la. Mal terminei de analisar o lado direito do paciente, ao notar a ausência de qualquer anormalidade (graças a Deus, não tinha nada, de modo a evitar possíveis descrições errôneas), dei meu parecer ao prof. Fonseca, que a meu lado, com sua voz forte em tom de gozação, disse:

– Doutor, quando se formar, vai receber somente metade do valor da consulta.

Os olhares de meus colegas se dirigiram a mim, que, morrendo de medo, perguntei:

– Não entendi o porquê, professor.

E, causando risos em todos, até no paciente, que assistia à cena, disse:

– Pois, sim, doutor, como o senhor só examinou um lado da boca deste paciente, é justo que cobre metade do valor da consulta.

Naquele dia fiquei muito chateado com o ocorrido, pois fui motivo de muita gozação da minha turma por longo tempo, mas o episódio serviu-me de lição, a qual nunca mais esqueci na minha vida profissional. Sempre que faço um exame físico, a lembrança do prof. Fonseca me obriga a fazê-lo de forma completa e demorada.

Muitos doentes chegam a meu consultório queixando-se de dor no peito, palpitações, formigamentos, tonturas e sintomas que não têm nenhuma relação com problemas cardiológicos. São pessoas cujo sistema cardiovascular é normal, mas somatizam seus problemas afetivos, mimetizando inconscientemente infartos, acidentes vasculares cerebrais (AVCs) etc. Qual o comportamento correto do cardiologista? Descartar a doença cardíaca e dispensar o paciente?

Evidentemente que não, pois ele procurou aquele médico para solucionar seu problema e não criar outros.

Não tem sentido situações como esta, narradas por um paciente. Ele estava com dor no peito e achava que ia ter um infarto. Tinha sido atendido com muita rapidez por um médico que, literalmente, nem olhou para ele e pediu grande quantidade de exames. Depois de um mês, retornou ao consultório com os resultados. O médico, após analisá-los rapidamente, disse a ele:

— Muito bem, seus exames estão normais, o senhor não tem nada no coração. Até logo. — E o paciente foi embora, queixando-se de dor no peito, justamente o que o fizera procurar aquele médico. Quando chegou a meu consultório, notei que tinha um problema afetivo importante, passava por momentos difíceis no relacionamento conjugal, interrompendo uma união de muitos anos. Estava com o coração partido e isso refletia no centro de sua afetividade: o tórax, local onde está situado o coração físico. Esse paciente sofria do coração emocional, mas procurou um cardiologista.

Sabemos de comportamentos em nosso estilo de vida — como sedentarismo, dieta com gorduras e tabagismo — que podem promover a doença cardiovascular (DCV), ou seja, angina, infarto e AVC. Fatores emocionais e experiências com estresse crônico também têm sido relatados como importantes causas de aterosclerose, ou seja, endurecimento da parede das artérias com consequente redução do fluxo sanguíneo, podendo ocasionar a DCV. Embora cardiologistas estejam acostumados a controlar fatores de risco sugerindo aos pacientes que pratiquem atividade física, cessem o tabagismo ou mantenham dieta alimentar saudável, não é comum diagnosticarem ou tratarem dos fatores psicossociais. Um dilema surge. Se, por um lado, não é função do cardiologista atuar fora de sua especialidade, por outro, o fato de ser muito significativa a relação dos fatores psicossociais com a DCV obriga o médico a atuar proativamente para que a influência desses fatores na saúde total do seu paciente seja reduzida.

Tendo em vista resultados de estudos científicos multicêntricos de grande porte, admite-se que fatores psicossociais como ansiedade, depressão e estresse crônico exerçam papel preponderante na gênese das DCVs. De acordo com alguns estudos, estão até mesmo à frente da diabetes, da obesidade e do sedentarismo. Dessa forma, vem surgindo um novo ramo da cardiologia: a cardiologia comportamental, ramo da especialidade que teria como missão a prevenção global da DCV, atuando não só nos fatores classicamente reconhecidos, como também no controle dos fatores psicossociais.

Resta ainda uma questão: como deve ser o cardiologista do futuro? Terá de ser um profissional superespecialista, mas com visão aberta, que seja capaz de entender o ser humano em todas as suas dimensões. Na verdade, o cardiologista do século XXI deve, além de ser total conhecedor dos avanços científicos da sua especialidade, ser ao menos um pouco semelhante aos médicos de antigamente, verdadeiros filósofos, incansáveis sacerdotes que viam no próximo a semelhança com o Criador.

Essas foram as razões que fizeram com que eu escrevesse este livro, caro(a) leitor(a), abordando assuntos muito frequentes em nosso dia a dia: a ansiedade, os medos, o pânico, que têm íntima relação com o causador do maior de todos os males do mundo atual: a doença cardiovascular.

Tenho certeza de que com uma das histórias reais que relato, evidentemente com nomes fictícios, você vai poder se identificar e, especialmente, encontrar a solução tão esperada. Aproveite!

O pânico da ministra da Eucaristia

Dulce entrou no consultório esbaforida. Nem bem se sentou, já foi falando:

— Dr. Roque, o senhor é minha última esperança para descobrir o que eu tenho. Sinto que estou tendo um infarto, mas quando chego nos médicos nada se acha. Estou desesperada.

Nesse contato inicial, percebi que Dulce precisava desabafar com alguém. Por isso, para deixá-la à vontade, disse-lhe:

— Por favor, conte tudo para mim. Desde o começo, desde quando a senhora começou a passar mal.

— Doutor, sempre fui uma pessoa sadia, nunca tive nada. Nem quando minhas regras terminaram senti o calorão que todas as mulheres se queixam na menopausa. Tenho um marido aposentado e três filhos que, graças a Deus, sempre foram um presente do Senhor para mim. Sempre fui mulher de igreja, pertenço a uma paróquia onde sou ministra ordenada da Eucaristia. Atuo nessa função todas as semanas, quando levo a comunhão na casa de alguns doentes.

— Que bom, Dulce, sua vida espiritual está bem assentada. Pelo que entendi, nessa dimensão não existe problema, não é?

— Doutor, tudo começou após um acidente que tive. Ao atravessar a avenida onde moro, fui atropelada por uma moto. Graças a Deus não aconteceu nada complicado, mas tive que ser operada e colocaram um pino de metal na minha perna. Fiquei internada por dez dias em um hospital perto do meu bairro. Depois recebi alta, para continuar o tratamento no ambulatório e fazer fisioterapia. Até aí tudo bem. Embora com a perna engessada, sabia que era uma questão de tempo eu poder voltar às minhas atividades, pois tomo conta dos afazeres de casa e também sou manicure. Faço unhas em casa para conseguir uma renda adicional à aposentadoria do marido, que não é das melhores. Logo que retirei o gesso e comecei a andar um pouco melhor, resolvi ir ao grupo de oração, que sempre frequentava às quartas-feiras à tarde. Tinha certeza de que seria bom para mim, pois não aguentava mais ficar presa em casa. Quando cheguei ao grupo, fui recebida com muito carinho por todos os que tinham rezado pela minha cura. Começamos a oração, mas em um determinado momento, do nada, comecei a sentir dificuldade para respirar, parecia que não era suficiente o ar que entrava nos meus pulmões. Aquilo foi aumentando, meu coração começou a disparar, minhas mãos ficaram frias, úmidas e trêmulas. Meu corpo todo começou a tremer, meus dedos ficaram enrijecidos, comecei a sentir tontura e de repente comecei a estranhar o lugar onde estava. Doutor, tive a sensação de que estava morrendo. As pessoas do grupo, vendo minha situação, fizeram-me sentar em uma poltrona e logo chamaram meu marido para que me levasse ao pronto-socorro. Soube depois que fiquei muito pálida e com os olhos fundos. Cheguei ao hospital e fui examinada por um cardiologista. Após vários exames, ele me disse que eu não tinha nada, que aquilo era apenas um quadro emocional. Saí de lá com receita de calmantes, mas graças a Deus melhor. Naquela semana fui ao consultório do cardiologista para fazer um exame completo. Tudo foi normal, meu coração é de uma adolescente, disse-me ele. Passado esse episódio, voltei aos poucos à minha vida normal. Quer dizer, voltei aos problemas que tinha, pois meu marido é aposentado e, quando não está na padaria da esquina conversando com os amigos, fica em casa vendo televisão. E, o que é pior, fica vendo esses programas da tarde que só falam em desgraças e morte. Não suporto esse tipo de programa que fala da desgraça alheia. Isso parece que atrai coisas ruins pra gente. O que me irrita mais é que ele não é capaz de fritar um ovo. E, quando chega a hora das refeições, fica esperando eu fazer o prato pra ele comer. Não suporto isso! Isso me irrita!

E, com o rosto vermelho de raiva, disse:

— Doutor, eu não aguento o meu marido. Tenho ódio de fazer comida para ele.

— Mas vocês são casados há muito tempo, não? — perguntei-lhe.

— Sim, doutor, vai fazer trinta anos. Mas, enquanto ele saía de manhã para trabalhar, só voltava à noite e eu tinha meus filhos para cuidar, então minha vida era outra. Depois que meus filhos casaram e esse "cara" ficou em casa sem fazer nada, isso aqui virou um inferno. Se não fosse a fé que tenho em Deus e o amor em Nossa Senhora, não sei o que seria de mim. Agora está bem pior, pois como não consigo sair de casa sou obrigada a aguentar a cara dele o dia todo.

– Como assim não pode sair de casa? É por causa da sua perna?

– Não, doutor, a perna ficou boa logo. Mas, depois que tive aquela crise na igreja, parece que minha vida virou. Mesmo com o remédio do cardiologista, comecei a ter os mesmos sintomas da crise, embora mais fracos e breves, ocorrendo umas duas a três vezes por dia. Por causa disso passei a ter medo de sair de casa, com receio de me sentir mal na rua. Meus filhos não querem que eu saia de casa sozinha, por preocupação com minha saúde, mas eles não vivem aqui comigo, eles têm a vida deles. Sair de casa com meu marido não dá certo, pois ele acha que o que eu tenho é frescura. Todas as vezes que passo mal ele me lembra que o cardiologista disse que eu não tinha nada no coração. O jeito é ficar em casa quietinha e segura.

– E aí, Dulce, como foi o restante da sua história?

– Bom, doutor, as crises começaram a se tornar mais frequentes. Num domingo, meu filho mais novo estava em casa com minha nora. Durante o almoço, comecei a passar mal. Eles me levaram ao pronto-socorro. Chegando lá foi a mesma coisa, não deu nada. Era tudo psicológico. Comecei a ficar preocupada comigo, doutor, porque eu sentia tudo aquilo, achava que ia morrer, não estava inventando doença. Como ninguém conseguia achar nada, comecei a desconfiar do médico, que era novinho. Então procurei outro cardiologista do convênio. Mas foi a mesma coisa. "A senhora não tem nada, tem um coração de moça", disse-me ele, exatamente como o outro médico tinha falado. Voltei para casa e as crises continuaram. Tentei controlar uma delas, mas não adiantou, fui às pressas para o pronto-socorro. A mesma coisa. "A senhora não tem nada. É um problema emocional. Marque uma consulta com o psiquiatra." "Psiquiatra é médico de louco", pensei. Será que estou ficando louca? Ou será que tenho uma doença tão grave que nenhum médico é capaz de diagnosticar? Fui ao psiquiatra. O tempo foi passando, e as crises se tornaram mais controláveis com a medicação que o psiquiatra havia me receitado. Mas eu ainda não me sentia bem, porque não tinha coragem de sair de casa, com medo de passar mal na rua. Deus me perdoe, doutor, mas tinha dias em que eu gostaria muito de que os exames detectassem alguma coisa grave no coração, para eu ter certeza de que resolveria minha situação por bem ou por mal. E também isso ia servir para calar a boca do infeliz do meu marido. Ontem a coisa piorou, doutor. Tive uma crise forte, comecei a sentir palpitação, falta de ar, dor no peito, tontura, uma sensação de que ia desmaiar. Melhorei com o calmante que tomei, mas resolvi vir aqui no seu consultório para que o senhor veja meu coração, se tenho doença ou se estou realmente ficando louca. O senhor é minha última esperança. Conheço o senhor das palestras da televisão e pelos seus livros, estou nas suas mãos, doutor.

 Enquanto Dulce me contava a história, ia analisando suas possibilidades diagnósticas. Era uma mulher de 49 anos, menopausada, sem histórico de doença cardiovascular na família. Não tinha sintomas típicos para o diagnóstico de uma doença cardiovascular, o exame físico foi normal, mas pude sentir que existiam variáveis psicológicas interferindo em seu quadro. Após a análise dos exames complementares que trazia, tive a certeza de que seu sistema cardiovascular estava em ordem e que jamais seria responsável por toda aquela riqueza de sintomas.

Fui logo perguntando:

— E seu casamento, como está?

— Ruim, doutor, sempre foi assim. Casei-me muito cedo, meu marido foi meu primeiro namorado e único homem da minha vida. Não o conheci direito antes do casamento, pois morava no sítio. Naquela época a gente não tinha toda essa liberdade de hoje; praticamente conheci o marido na porta da igreja, por assim dizer. Casei-me com a expectativa de encontrar o amor de minha vida, de querer viver ao lado de uma pessoa para sempre. Mas logo na noite de núpcias percebi que tinha tomado o bonde errado. Só que já era tarde demais para voltar, pois meu pai nunca me aceitaria de volta. Enquanto os filhos estavam comigo tudo caminhava bem, mas, depois que o mais novo se casou, e meu marido se aposentou, a coisa ficou pior. O que me deixa mais irritada e com raiva, doutor, é que ele não acredita que eu esteja doente. Acha que tudo é invenção, loucura da minha cabeça.

— Ele não acredita em você, Dulce?

— Não, doutor. Ele acha que é tudo frescura minha porque, sempre que passo mal, os médicos não acham nada.

— Mas, Dulce, seu marido não acredita que a cabeça é capaz de fazer muitas pessoas doentes? Ele não lê nada?

– Que nada, doutor. Ele diz que não perde tempo com essas histórias de leitura. O negócio dele é ficar jogando dominó com os amigos. Ou senão ficar "enchendo o meu saco" em casa. Noutro dia, uma prima dele veio me visitar e logo queria me levar para um centro espírita, pois achava que devia ter alguma coisa me perturbando.

– Você foi, Dulce? – perguntei, assustado.

Em um gesto forte, com os punhos cerrados um sobre o outro, ela me respondeu:

– Nem amarrada, doutor! Sou católica apostólica romana e ministra ordenada da Eucaristia. Jamais iria em um lugar que vai contra o que Jesus nos ensina no Evangelho.

Numa menção de aplaudi-la, disse:

– É isso aí, Dulce, senti a firmeza da sua fé.

– Doutor, posso estar morrendo de medo, posso estar achando que vou ter de novo o ataque de pânico, mas nunca deixo minha fé, pois se não fosse ela eu não estaria aqui. No mínimo estaria internada em algum hospital de louco.

Estava muito clara a situação de Dulce. Um casamento vivido sem amor. Por isso, durante grande parte de sua vida, a transferência desse sentimento aos filhos e à religião foram mecanismos compensatórios. Muitas mulheres passam a vida toda em função dos filhos, compensando neles o amor que não recebem ou não têm pelos parceiros. Sufocam todas as aspirações, vontades, desejos e, o que é pior, seus sonhos por causa de um casamento mantido apenas por um papel assinado. Com o passar do tempo, os filhos se casam e vão embora. A casa, o ninho, tudo fica vazio. E, com a saída dos filhos debaixo de suas asas, todo o sentido de vida dessa mulher desaparece. Assim, a convivência conjugal fica difícil. Isso porque de repente ela se dá conta de que tem em casa uma pessoa estranha: um marido aposentado, que para ela representa só um trabalho a mais, uma pessoa cheia de defeitos e manias, antes não percebidos.

Nessas circunstâncias, é natural que a vida se torne difícil. A mulher se sente oca, e esse vazio faz com que fique cada vez mais ansiosa, mais estressada, menos tolerante com tudo e com todos. O que compensava com os filhos transfere agora para a religião. Por isso passa a ser mais assídua aos eventos, assumindo papéis na igreja que antes, por falta de tempo, não podia.

Mas nada disso é suficiente para evitar a eclosão de uma doença, vinda de dentro de si, decorrente da quebra da sua harmonia psíquica, como legado da sublimação de todos os projetos e sonhos de sua vida. Como um lamento do seu "eu" interior surge o Transtorno do Pânico. No entanto, a despeito do grande sofrimento que causa ao ocasionar a parada obrigatória das atividades cotidianas, ele também representa um momento obrigatório de reflexão, de abertura e, principalmente, de busca do sagrado.

O que é Transtorno do Pânico?

Na mitologia grega, Pã era um deus que habitava o bosque da Arcádia. Protetor dos pastores, era metade bode e metade homem com chifres; uma figura muito feia. Por isso, sempre que surgia de repente assustava os camponeses. Daí a origem do termo "pânico", *panikon* em grego. Pã teve seu templo erguido na cidade de Atenas, em uma praça chamada Ágora – mercado – local que reunia muitas pessoas. Essa é a origem da palavra "agorafobia", inicialmente relacionada ao medo de locais amplos e com muita gente.

O Transtorno do Pânico (TP) é caracterizado pela ocorrência espontânea e inexplicável de ataques de pânico concomitantes com pelo menos quatro dos sintomas a seguir:

- palpitações, taquicardia ou ritmo cardíaco acelerado;
- sudorese;
- tremores ou abalos;
- sensação de falta de ar ou sufocamento;
- sensações de asfixia;
- dor ou desconforto no peito;
- náuseas ou desconforto abdominal;
- sensação de tontura, instabilidade, vertigem ou desmaio;
- desrealização ou despersonalização;

- medo de perder o controle e enlouquecer;
- medo de morrer;
- parestesias, formigamentos, anestesias; e
- calafrios ou ondas de calor.

A despersonalização é uma sensação comum nos estados ansiosos. Pode surgir mesmo fora dos ataques de pânico. Caracteriza-se por dar à pessoa a sensação de não ser ela mesma, como se estivesse fora do próprio corpo e observasse a si mesma. A desrealização é a sensação de que o mundo ou o ambiente a volta esteja alterado, como se fosse um sonho ou houvesse uma nuvem. A agorafobia é o temor de se encontrar sozinho em lugares públicos sem uma saída rápida de fácil acesso, caso surja um ataque de pânico. Em outras palavras, é o medo de ter medo.

A ocorrência de um ataque de pânico é insuficiente para que se faça o diagnóstico da doença. Dez a 12% da população relata que nos últimos 12 meses já sofreram pelo menos um ataque de pânico inesperado, mas menos do que 2% a 6% preenche todos os quesitos necessários para o diagnóstico do TP. Seis dos sintomas dos critérios diagnósticos de TP são também achados com frequência em doenças do coração. São eles: dor torácica, palpitação, sudorese, sensação de asfixia, sufocação e ondas de calor. Essa sintomatologia é quase sempre responsável pelo fato de os pacientes procurarem, durante as crises, serviços de emergência em cardiologia. Com base nesse aspecto é que decorre tamanha familiaridade dos cardiologistas com essa doença.

Ao ser analisada a admissão de pacientes em um serviço de emergência, verificou-se que, de 1.364 pacientes que chegaram queixando-se de dor no peito e com absoluta certeza de que infartavam, 30% tinham TP e 18% apresentavam doença arterial coronária sem TP. Dos pacientes com TP, 74,4% não possuíam doença coronária, mas em 26% diagnosticou-se insuficiência coronária aguda. Esse estudo é importante para esclarecer muitas situações que normalmente ocorrem nos prontos-socorros cardiológicos. Às vezes o diagnóstico de TP pode fazer com que o plantonista se esqueça da possibilidade de ocorrência simultânea de uma patologia extremamente letal que é a doença coronariana.

Foi somente a partir de 1980 que o TP foi reconhecido como um problema específico de ansiedade. Até aquela época, os ataques de pânico eram considerados especialmente uma forma de ansiedade. Possuía nomes como: neurastenia cardiocirculatória; PiTi ou HY, codinome das crises histéricas reconhecidas nos serviços de emergência. Atualmente a patologia é bem definida, por meio das normas da Associação de Psiquiatria Norte-Americana, nos seguintes itens:

Transtorno do Pânico sem agorafobia

I. Ataques de pânico, recorrentes e inesperados, em que pelo menos um dos ataques foi seguido, por um mês ou mais, de:
    a) preocupação persistente de novos ataques;
    b) preocupação sobre as implicações do ataque ou suas consequências, como perder o controle, ter um ataque cardíaco, ficar louco; e
    c) alteração do comportamento relacionada aos ataques.

II. Ausência de agorafobia.

III. Ataques de pânico não devidos a Transtorno de Ansiedade induzido por substâncias ou secundário.

IV. Ansiedade não explicada por Transtorno Obsessivo Compulsivo (TOC) (por exemplo, medo de contaminação); Transtorno de Estresse Pós-Traumático (resposta a estímulos associados a um estressor severo, como assalto na rua); Transtorno de Ansiedade de Separação (por mudança de residência, escola etc.); Fobia Específica ou Fobia Social (medo de falar em público).

Transtorno de pânico com agorafobia

I. Ataques de pânico, recorrentes e inesperados, em que pelo menos um deles foi seguido, por um mês ou mais, de:
   a) preocupação persistente em ter ataques adicionais;
   b) preocupação sobre as implicações do ataque ou suas consequências, como perder o controle, ter um ataque cardíaco, ficar louco; e
   c) alteração do comportamento relacionada aos ataques.

II. Presença de agorafobia, isto é, ansiedade por estar em locais ou situações onde possa ser difícil (ou embaraçoso) escapar ou onde o auxílio possa não estar disponível na eventualidade de haver um ataque de pânico inesperado ou predisposto pela situação. Os temores agorafóbicos podem ser: estar fora de casa desacompanhado; estar em meio a uma multidão ou permanecer em uma fila; estar em uma ponte; viajar de ônibus, trem ou automóvel.

III. Situações agorafóbicas são evitadas (por exemplo, viagens restritas) ou suportadas com acentuado sofrimento devido à possibilidade de um ataque de pânico, muitas vezes exigindo a presença de um acompanhante.

IV. Ataques de pânico não devidos ao Transtorno de Ansiedade induzido por substâncias ou secundário.

V. Ansiedade ou esquiva fobia não explicada por outro transtorno mental, como Fobia Específica (por exemplo, esquiva limitada a única situação como elevadores), Transtorno de Ansiedade de Separação (por exemplo, esquiva a escola), TOC (por exemplo, medo de contaminação), Transtorno de Estresse Pós-Traumático (esquiva de estímulos associados a estressor severo) ou Fobia Social (esquiva limitada a situações sociais pelo medo do embaraço).

Enfrentando os perigos!

Uma das situações mais frequentes em nossa sociedade atual é a ansiedade. Quase todos nós já passamos por esses momentos várias vezes na vida. Seja ao realizar uma prova, ao enfrentar uma situação nova ou ao estar sujeito às violências de uma cidade grande etc. A ansiedade é a reação ao perigo ou a ameaça. É a reação de luta-fuga utilizada para combater as agressões do meio ambiente – uma ferramenta natural de defesa.

No mundo das cavernas, quando atacado, o homem primitivo tinha esse mecanismo de defesa para manutenção da vida. Já no mundo atual acontece a mesma coisa, quando, ao trafegar em uma rodovia, um automóvel vem ao nosso encontro, automaticamente, nos desviamos dele para evitar o desastre. É uma reação de autopreservação.

Quando uma forma de perigo é percebida ou antecipada, o cérebro envia mensagens à seção de nervos chamada Sistema Nervoso Autônomo. Esse sistema possui dois tipos diferentes de células nervosas, os neurônios, componentes do Sistema Nervoso Simpático (SNS) e do Sistema Nervoso Parassimpático (SNP). Esses sistemas estão diretamente envolvidos no controle dos níveis de energia do corpo e na preparação para a ação, sendo na realidade um sistema de alerta do organismo contra quaisquer tipos de agressões.

O SNS é o sistema de reação de luta-fuga que libera energia e coloca o corpo pronto para a ação, enquanto o SNP atua restaurando o corpo para a situação normal. Ao se estimular o SNS, duas substâncias químicas são liberadas no organismo pelas glândulas suprarrenais: a adrenalina e a noradrenalina, que atuam como mensageiras para o sistema nervoso continuar com sua atividade até quando necessária. O próprio organismo se cansa desse mecanismo de luta-fuga e promove redução da atividade simpática, por meio da secreção de substâncias que vão destruir a adrenalina e noradrenalina, ou então ativa o SNP para que produza mediadores químicos com ação contrária aos liberados pelo SNS. Nesse momento é ativado o relaxamento compensatório a uma excitação.

Um dado interessante tem de ser lembrado: a noradrenalina e a adrenalina levam algum tempo para ser destruídas pelo organismo. Dessa forma, mesmo depois de o perigo ter passado e de o sistema SNS ter parado de reagir, o organismo pode ainda se sentir em estado de alerta e apreensão por algum tempo, porque as substâncias ainda estão em ação. É o exemplo clássico de, passado o susto, a pessoa continuar a sentir por algum tempo o coração bater rápido, sentir-se ofegante. Isso é absolutamente normal e sem perigo.

O sistema nervoso simpático

A ativação do SNS faz o coração bater mais rápido e mais forte. Isso é vital para a preparação da luta-fuga, porque aumenta o fluxo de sangue para as áreas envolvidas nesse mecanismo de defesa.

Além disso, há modificações na direção do fluxo sanguíneo para que mais sangue – que leva o oxigênio que respiramos – circule para os órgãos em ação no momento de pânico ou ansiedade. Então o cérebro produz substâncias químicas que contraem os pequenos vasos que levam sangue aos tecidos da pele. Por isso, diz-se que o sujeito ficou branco, pálido. Outras sensações são frio, suor nas mãos e nos pés e até mesmo formigamentos. O sangue desviado da pele se dirige aos grandes músculos das coxas e dos braços. São esses os importantes atores do mecanismo de luta-fuga para se defender ou fugir do perigo.

Uma vez que a reação de luta-fuga faz o organismo trabalhar mais, o corpo precisará de mais oxigênio. Então a respiração aumenta. E isso dá a sensação de falta de ar, de engasgar ou até de sufocar. Como resultado, os músculos respiratórios do tórax ficam esgotados, gerando dor ou pressão no peito. O aumento da respiração também pode ocasionar variações fisiológicas na circulação cerebral, levando a tonteiras, visão borrada, fuga da realidade e sensação de frio ou calor fortes. Mas, se isso ocorrer, será inofensivo e passageiro.

A ativação da reação de luta-fuga aumenta a transpiração. Essa é uma ação adaptativa, pois com a sudação excessiva a pele se torna escorregadia e assim um suposto adversário teria dificuldades em um confronto direto. Ao ser ativado, o SNS pode produzir uma série de outros efeitos com finalidade adaptativa, não sendo sinônimo de doença. Um deles é a dilatação das pupilas, que ocorre durante uma reação de luta-fuga, para permitir maior entrada de luz. Isso pode levar a visão borrada e manchas na frente dos olhos. Outro efeito é a redução da produção de saliva, deixando a boca seca. Pode haver também redução das funções digestórias, ocasionando náuseas, vômitos e diarreia, sensação de peso no estômago e constipação. A grande tensão muscular, provocada pela reação de defesa, pode levar a tensões musculares prolongadas. E isso gera dores musculares e tremores.

O principal efeito da reação de luta-fuga é alertar o organismo para a possível existência de perigo. Portanto, o indivíduo deve ficar sempre atento a quaisquer mudanças no ambiente, pronto para iniciar a reação. Esse estado de alerta é responsável pela perda de atenção e perda da memória recente, queixa comum entre as pessoas ansiosas.

Resumindo, é fácil entender que todos esses mecanismos descritos na reação de luta-fuga são próprios do nosso organismo e fazem parte do nosso sistema de defesa. Por isso são vitais para a sobrevida.

Entendendo o pânico

Ainda não há uma opinião de consenso sobre a gênese do transtorno do pânico. As hipóteses mais aceitas são:

Neuroanatômica

Em 1989, Gorman e outros elaboraram uma hipótese neuroanatômica para o TP. O objetivo era explicar de que maneira duas terapias diferentes, como a farmacológica e a psicoterapia cognitivo-comportamental, eram eficazes no seu tratamento.

Essa teoria postulava que o TP se originava de pontos de uma região cerebral denominada Tronco Cerebral. Lá ocorre a transmissão serotoninérgica e noradrenalinérgica e o controle respiratório. De acordo com Gorman, a ansiedade antecipatória surgia após a ativação de estruturas do sistema límbico e a esquiva fóbica seria em razão da ativação pré-cortical. Sua teoria explica que a medicação atua na normalização da atividade do tronco cerebral em pacientes com TP, enquanto a terapia cognitivo-comportamental trabalharia no córtex.

Imagine-se dentro de uma garagem fechada, o carro ligado. A quantidade de monóxido de carbono expelida pelo motor contamina o ar, de modo que sentimos, automaticamente, a redução de oxigênio no ar. Se não desligarmos o carro ou abrirmos a porta, poderemos ser sufocados. Antes de acontecer o pior, no entanto, nosso organismo dispõe de mecanismos de defesa para que não falte oxigênio para as células. A redução do oxigênio do ar e o aumento do gás carbônico estimulam o centro cardiorrespiratório localizado no tronco cerebral. Por isso começamos a fazer a hiperventilação, ou seja, respiramos mais rápido e profundamente. Isso para inalarmos mais oxigênio e reduzirmos o gás carbônico do sangue. Esse mecanismo de defesa ocasiona uma redistribuição de fluxo sanguíneo no corpo, de modo que ocorra uma contricção dos vasos do cérebro. Assim sentimos tonteira, visão embaçada, sensação de vazio na cabeça, desrealização e confusão mental. Além disso, há redução do fluxo nas extremidades, levando a formigamentos, sudorese, aumento dos batimentos cardíacos, mãos frias e suadas e enrijecimento muscular.

A hiperventilação é também responsável por uma série de efeitos generalizados. O ato de hiperventilar é um trabalho físico pesado. Portanto, o indivíduo pode se sentir acalorado e suado. Como normalmente as pessoas que hiperventilam o fazem através de músculos torácicos, isso acarreta exaustão muscular com consequente ocorrência de dor na região torácica, que pode ser confundida com angina de peito ou infarto do miocárdio.

É importante frisar que a hiperventilação é uma parte integral do mecanismo de luta-fuga. Sua função é proteger o corpo do perigo. Longe de ser prejudicial, é parte de uma resposta biológica de autopreservação.

No transtorno do pânico ocorre uma falta de sincronismo das respostas dos neurônios serotoninérgicos do tronco cerebral à presença anormal de gás carbônico. É como se, repentinamente, o centro respiratório começasse a sentir a presença normal de gás carbônico como algo incômodo, disparando assim o gatilho da reação de luta-fuga.

Comportamental

É uma hipótese que explica somente alguns tipos de pânico ligados a fenômenos comportamentais, com o condicionamento clássico, princípio do medo, teoria da interpretação catastrófica e sensibilidade à ansiedade.

No princípio do condicionamento clássico, o paciente desenvolve o medo a partir de um determinado estímulo e, sempre que exposto a esse estímulo, a recordação de medo é evocada. Assim, a pessoa associa a ideia do medo ao local onde se encontra.

Tenho um paciente que sofreu uma crise de pânico enquanto dirigia sua caminhonete. Por muito tempo deixou o veículo na garagem, usando outro carro, pois associou aquele automóvel com a crise. Outros deixam de passar por locais onde tiveram crises, deixam de usar cores vermelhas por relacioná-las à crise e outras situações que, racionalmente, sabem não estarem ligadas às crises, mas por via das dúvidas...

Psicanalítica

Os portadores de pânico têm tendência a se preocupar excessivamente com problemas do cotidiano. São pessoas criativas, têm bastante necessidade de estar no controle da situação, geram expectativas altas, pensamentos rígidos, são competentes e confiáveis.

Frequentemente subestimam suas capacidades físicas, envolvendo-se demais com suas atividades profissionais. Essa situação é causadora de acentuado estresse físico e mental. Costumam reprimir pensamentos negativos, a irritação, seus conflitos íntimos e até mesmo seus projetos e sonhos.

Essa maneira de viver em função do mundo exterior, vestindo uma *persona* adequada à sua situação de momento, vai ocasionando níveis progressivos de estresse, levando a enorme desequilíbrio psíquico e bioquímico, com consequente possibilidade de um ataque de pânico.

A teoria psicanalítica afirma que as crises de pânico se originam do escape de processos mentais inconscientes até então reprimidos. Quando existe no inconsciente uma ideia, um desejo ou uma emoção com a qual o indivíduo não consegue lidar, então as estruturas mentais trabalham de forma a manter esse processo fora da consciência do indivíduo. Contudo, quando esse processo é muito forte ou os mecanismos de defesa enfraquecem, os processos reprimidos podem surgir "desautorizadamente" na consciência do indivíduo pela crise de pânico.

Quem está sujeito a ter pânico?

Cerca de 1,5% a 2% da população pode ter o transtorno do pânico. As mulheres são mais afetadas do que os homens, com aproximadamente o dobro da incidência. A idade de início concentra-se em torno dos 30 anos, podendo começar durante a infância ou na velhice.

O curso do pânico é imprevisível, tanto pode durar alguns meses quanto vários anos. É importante notar que o tratamento não cura o pânico, apenas suprime os sintomas e permite que o paciente tenha uma vida normal. A suspensão desautorizada do tratamento pode levar a recaídas.

Consequências do pânico

Uma das maiores consequências do pânico é a mudança de vida que, às vezes, o paciente é obrigado a fazer, em detrimento de sua atividade profissional, ocasionando assim verdadeiros transtornos familiares.

Por causa do medo de passar mal dentro de elevadores, vi pais subirem as escadas do prédio de meu consultório sem, no entanto, deixarem de ouvir as queixas e reclamações dos filhos que os acompanhavam. Casais se separam pelo isolamento social que o TP ocasiona em um dos cônjuges, outros deixam de aproveitar oportunidades de viagens sonhadas, o que pode deixar cicatrizes profundas no relacionamento.

É comum nos consultórios conhecermos pacientes que abandonam suas profissões por causa da agorafobia; outros mudam de função, procurando serviços que possam ser realizados em casa, justamente para evitar as saídas na rua. Algumas vezes essas pessoas podem apresentar ansiedade antecipatória diante da possibilidade de terem de sair. Normalmente têm dificuldades para dormir a sós, procuraram insistentemente os consultórios de cardiologistas e recorrem ao auxílio religioso com entusiasmo exagerado.

Infelizmente, sabemos também que muitos perdem seus empregos por causa das faltas, justificadas ou não, acarretando um custo previdenciário para o Estado.

Como conviver com uma pessoa que sofre de ataques de pânico?

I. Antes de mais nada, entenda que a pessoa não está inventando a situação, *ela possui uma doença que precisa ser tratada como qualquer outra.*

II. Por maior que seja o desespero da pessoa, fique calmo. Embora os sintomas sejam alarmantes e a pessoa ache que vai morrer, tudo vai passar em alguns minutos. Mantenha-se dono da situação.

III. Nunca diga: Relaxe, acalme-se...
Você pode lutar contra isso...
Não seja ridícula(o)!
Não seja covarde!
Você tem que ficar (quando o paciente quer sair de onde está).
Você é forte, enfrente o local onde passou mal.
Isso poderá levar a pessoa a ficar ainda mais ansiosa e nervosa, pois não se esqueça de que ela não queria estar assim.

IV. Não faça suposições a respeito do que a pessoa com pânico precisa, pergunte-lhe sobre suas necessidades.

V. Procure ser otimista.

VI. Escute, ouça o que ela tem a falar, compartilhe com ela o sofrimento.

VII. Estimule a espiritualidade da pessoa, levando-a aos locais de sua preferência religiosa para ouvir um padre, pastor, rabino etc.

VIII. Não fique atribuindo os ataques de pânico a "encostos", possessões, maus espíritos, pois assim poderá aumentar ainda mais a ansiedade da pessoa, gerando um medo maior.

Tratando o pânico de Dulce

A história de Dulce preenchia todos os requisitos necessários para o diagnóstico do pânico. Chegara o momento mais difícil: iniciar o tratamento.

Depois de explicar a ela com detalhes o que acontecia, receitei a medicação indicada, mostrando todos os possíveis efeitos colaterais do remédio. Procedo sempre dessa forma porque sei da grande dificuldade de alguns pacientes em usar medicação "tarja preta", como se referem aos medicamentos controlados. É importante explicar ao paciente que a medicação pode causar algum tipo de mal-estar nas primeiras cápsulas tomadas, mas é necessário persistir no tratamento. Evidentemente, permito que o paciente tenha a possibilidade de se comunicar comigo durante esses dias, pois acredito que sabendo da existência de alguém para recorrer em caso de dúvida ele se sinta mais tranquilo.

Nem sempre a primeira medicação receitada tem o efeito desejado ou tem de ser descontinuada pelos efeitos colaterais. Às vezes, há necessidade de inúmeras tentativas, até encontrar o remédio e a dose certos para a pessoa. Nessa circunstância, é extremamente importante a relação médico-paciente, pois quanto mais cordial e aberta, mais facilita o tratamento.

Antes que a paciente fosse embora, falei das cinco pedras que Nossa Senhora ensinou para nos defender dos Golias da nossa vida: Eucaristia diária, terço diário, jejum semanal, leitura da Palavra de Deus diariamente e confissão mensal. Em Medjugorje, santuário mariano localizado na Bósnia, a mãe de Jesus, em uma de suas aparições, pediu esse ritual de orações para nosso fortalecimento espiritual.

Quando a paciente estava saindo do consultório eu disse:

– O pânico é um Golias que a senhora vai combater tomando o remédio que receitei e fazendo o que Nossa Senhora nos pediu. Siga corretamente essas instruções e depois conversaremos.

Duas ou três vezes naquela semana Dulce me ligou para contar sobre os efeitos colaterais do remédio, que graças a Deus logo passaram. No mês seguinte, quando ela retornou para a consulta, vi que tinha melhorado, as crises desapareceram, mas ainda não tinha conseguido sair de casa. Naquele dia insisti um pouco mais sobre seu casamento, pedindo que tentasse perdoar seu marido e também se perdoar por ter se casado com ele.

Por mais que se seja espiritualizado, por mais desprendidos que sejamos, uma das coisas mais difíceis que existem é perdoar aqueles que nos fizeram mal. E, mais ainda, é nos perdoar por termos ou não feito alguma coisa para nós.

Não existe nenhum medicamento que consiga retirar do paciente a mágoa, o ressentimento, o ódio, a ira, a inveja, sentimentos que reconhecidamente podem nos causar doenças físicas, como doenças cardiovasculares, câncer, além de distúrbios psíquicos, entre eles os transtornos de ansiedade, pânico, fobias.

Estudos recentes, utilizando técnicas modernas de neuroimagem, identificaram áreas cerebrais que estão relacionadas à capacidade ou não de perdoar.

Os resultados mostraram que as áreas cerebrais de indivíduos que não conseguem perdoar estão relacionadas com áreas da hostilidade, partes cerebrais que estão fortemente ligadas à diminuição da atividade do sistema imune. A atividade cerebral do não perdão é semelhante às situações de estresse, raiva e agressão.

Esses estudos até certo ponto comprovam que o ressentimento, a raiva e a falta de perdão são extremamente nocivos ao nosso organismo.

Dessa forma, a única solução para evitar todas essas desgraças é o perdão; e, para se obter a capacidade de perdoar, somente através da graça de Deus. Não conheço outra maneira.

Dulce foi embora levando consigo essa difícil missão: trabalhar o perdão.

Meses depois, ela me liga dizendo, toda radiante:

— Doutor, adivinhe onde estou?

— Não sei. Em casa? — respondi.

— Na igreja — respondeu ela. — Vim sozinha ao grupo de oração e estou no mesmo lugar onde passei mal da outra vez. Estou ótima, pois tenho a certeza de que o Senhor está comigo.

— Louvado seja Deus! — respondi. — Dulce, pelo amor de Deus, não pare de tomar esse remédio até segunda ordem.

— Claro, doutor, não sou tão louca assim, pois sei muito bem que Deus nos cura também por meio dos médicos e medicamentos. Mas, doutor, o senhor me desculpe, mas o melhor remédio foi outro.

— Qual? — perguntei, espantado.

— As pedrinhas de Nossa Senhora — falou, toda alegre e contente.

— Não tenho dúvida — respondi. — A cura sempre é de Deus.

— E o perdão? — perguntei.

— Isso está difícil, doutor, mas tenho muita fé que o Senhor vai me dar forças para poder esquecer definitivamente tudo o que se passou.

— Amém! — respondi.

Esta é a história da Dulce, mas poderia ser a de qualquer um que, porventura, sofra dessa doença tão difícil de ser compreendida. Controlada com os medicamentos vive-se bem, mas sabendo que a cura definitiva virá somente quando tirar do seu coração todas as mágoas e ressentimentos, ou seja, quando aceitar totalmente a presença de Jesus na sua vida.

Um recado para quem sofre de transtorno do pânico

Uma pessoa que me ensinou muito sobre como controlar e conviver com a síndrome do pânico foi Zé Dentista. Contei sua história no meu livro *Depressão: onde está Deus?*

O Zé preenche todos os requisitos do perfil psicológico de um portador de TP, pois era perfeccionista e transferia para o trabalho todas as suas perdas, insatisfações e inseguranças. Era uma pessoa que sempre subestimava sua capacidade física. Até que um dia, após um período de trabalho muito intenso, explodiu-lhe um ataque de pânico que o forçou a pensar um pouco em si mesmo.

Até então vivia simplesmente movido pelo seu trabalho, reprimindo total ou parcialmente seus desejos, suas aspirações e necessidades em busca da necessidade de autoafirmação, de se tornar visível para o mundo que o rodeava. Mas tudo isso era irreal, tudo isso custava uma demanda enorme de energia física, mental e espiritual. O ataque de pânico o fez parar e reconstruir sua vida.

Quando ele me disse, em um dado momento da história, que agradecia a Deus por todos os momentos de intenso sofrimento pelos quais tinha passado, pensei que realmente ele estivesse com um grave acometimento mental. Somente depois vim entender a profundidade daquelas palavras, quando me disse:

– Louvo a Deus pelo meu pânico, pois foi por ele que pude encontrar-me com Deus. No momento que estava tendo a crise, em que tinha absoluta certeza de que iria morrer, um filme de toda a minha vida passou pela minha cabeça. Vi todas as coisas erradas que fiz, todas as pessoas a quem deveria pedir perdão e a quem deveria perdoar, ou seja, pensei estar no meu julgamento final.

– Nesse momento, disse ao Senhor que estava pronto para ir. Felizmente a hora da partida não veio, pois a crise foi diminuindo até desaparecer. Depois desse dia, vivi como se fosse o último da minha vida, ou seja, todas as noites faço um exame da minha consciência para ver se me comportei como um verdadeiro cristão.

Pensando como Zé Dentista, realmente o enfoque da doença muda muito de sentido, pois demonstra como Deus, embora não responsável por nenhum tipo de doença, aproveita uma situação extremamente dolorosa como o pânico para nos tornar pessoas melhores. Essa é a pedagogia de Deus, que Zé Dentista soube aprender muito bem. Que seu exemplo sirva para você, que como ele sofre desse mal. Deus o abençoe.

O Mercedes-Benz de Mr. Vincent

No início de 2006 estivemos na França para lançamento do meu primeiro livro nos países francofônicos, *La guérison des trois coeurs*. Sob um frio intenso tive o prazer de autografar alguns exemplares que foram enviados para a imprensa. Como o tema do meu livro é muito polêmico, principalmente vindo de um médico, houve grande interesse da imprensa, tanto secular como católica, para que desse entrevistas em jornais, revistas, no rádio e na televisão.

Foram momentos de muita aprendizagem, pois, ao enfrentar o "cartesianismo francês" e também o ceticismo dos profissionais da área da saúde, fiquei mais seguro ainda de que Deus capacita seus escolhidos. Por vários momentos pensei ser impossível mostrar a alguns colegas que a fé exerce papel extremamente importante na saúde física e mental de nossos pacientes, pois o raciocínio cartesiano deles o impedia de transcender sua mente. Confesso que até imaginei ter sido uma grande bobagem o lançamento desse meu livro e que, em vez de comparecer a entrevistas e reuniões onde quase seria massacrado pelos descrentes, poderia estar curtindo as delícias do inverno europeu na companhia dos nossos queridos amigos franceses.

Uma noite fui convidado para dar meu testemunho de vida a um grupo de pessoas ligadas à imprensa francesa. Sempre com Gisela a meu lado, que, além de minha querida esposa, é também minha tradutora para o francês – visto que ainda não consigo falar fluentemente o idioma –, comecei a relatar aos presentes os fatos que descrevi em um dos capítulos do livro, em que conto todos os momentos de minha conversão. Durante meu relato percebia o grande interesse dos ouvintes sobre o assunto que falava. Ao meu redor, alguns estavam com olhos cheios de lágrimas de tanta emoção, outros com olhar longínquo e distante transcendiam naquele momento, que sem dúvida alguma estava marcado pelo Espírito Santo.

Quando lhes contava do chamado que tive do Senhor durante a consagração daquela missa que foi o ponto inicial da minha conversão, ouvi uma pergunta:

– Doutor, a voz era masculina ou feminina?

Evidentemente que essa pergunta quase quebrou o clima de emoção reinante, pois refletia todo o racionalismo e ceticismo daqueles que desconsideram a importância das dimensões espirituais do homem ou mesmo daqueles que, carentes do encontro da Sua Verdade, buscam respostas existenciais em falsos valores e até em falsos deuses.

Quase me descontrolei naquele momento, pois achei uma enorme falta de respeito e educação interromper meu depoimento com esse tipo de pergunta, mesmo se não estivesse de acordo com o que estava falando. Isso tudo poderia ser feito após meu depoimento, mas respirei fundo e, depois de pedir a Deus uma resposta, disse:

– Desculpe-me, caro amigo, nunca me preocupei a respeito desse assunto e confesso não me lembro do sexo de quem me chamou. A única coisa que me recordo foi do poder daquela voz, forte, imperiosa, determinante e ao mesmo tempo tranquila, serena e reconfortante, dando-me uma sensação de paz que jamais tinha tido na minha vida. Esse dia foi o marco divisório na minha vida, pois senti que estava sendo chamado para algo bom para mim, algo que seria responsável pela minha felicidade total.

Graças a Deus, naquele momento não parei para pensar ou para questionar o que estava ouvindo, somente deixei-me levar pelo Espírito Santo. Se naquele momento meu ceticismo e cartesianismo próprio de médico estivesse aflorado, seguramente não teria passado por essa experiência maravilhosa e decisiva na minha vida pessoal. Lamento, meu amigo, e fico triste pelas pessoas que, ao se preocuparem com pequenos detalhes, deixam passar o mais importante, que é a Graça de Deus.

No final daquele jantar vários convivas vieram me abraçar e, com lágrimas nos olhos, me agradeceram os momentos emocionantes que passaram. Nunca mais os encontrei, não sei se alguma coisa mudou na vida daquelas pessoas, mas tenho a certeza de que a semente ficou plantada e de que, a qualquer momento, ela germinará, nascendo dali uma flor linda e maravilhosa que dará bons frutos.

Após o lançamento em Paris fomos para Poitiers passar alguns dias com nossa querida Marielle Touillet, cujo pai foi muito amigo do pai de Gisela, mr. Comarovschi, um dos membros da Resistência Belga durante a ocupação nazista da Segunda Guerra Mundial. Marielle e Jacques, seu irmão, sempre nos acolhem com muito carinho e hospitalidade, propiciando-nos dias maravilhosos na região da Touraine, no esplêndido Vale de La Loire.

Durante esses dias que passamos em Marteze, pequena cidade a cerca de 50 quilômetros de Poitiers, Marielle convocava reuniões sociais onde nos apresentava seus amigos da região, proporcionando-nos conhecer pessoas interessantes, dando-nos a oportunidade de aprender muito sobre a cultura e os hábitos dos franceses. Sempre nessas ocasiões ela presenteava seus amigos com exemplares do meu livro, momentos que me deixava extremamente feliz e honrado, dissipando um pouco do complexo de inferioridade que nós, sul-americanos, temos do povo europeu.

O tempo passa rapidamente quando estamos de férias, um local maravilhoso ao lado de pessoas fantásticas. É uma pena, mas tínhamos que voltar a Paris, pois havia combinado com uma revista e uma TV francesa entrevistas antes de voltar ao Brasil.

E novamente estávamos lá, em Paris, cidade luz, onde cada rua é uma página da história da humanidade, onde cada praça é um verso de um poeta romântico e cada monumento é o símbolo da grandeza de um povo vitorioso e soberano.

Ao chegarmos ao apartamento havia um recado para que ligássemos para uma pessoa que queria muito conversar comigo a respeito do meu livro. Imaginando que fosse outro repórter, logo pedi para Gisela ligar e agendar uma possível entrevista nos próximos dias, levando em conta nossa data de retorno ao Brasil.

Após falar ao telefone, ela me disse:

— Amor, não é repórter que quer falar com você. É uma pessoa que leu seu livro e quer que você consulte o pai dela, que está muito deprimido após ter a notícia de um tumor no intestino, que o médico lhe disse ser inoperável.

— Mas — disse a ela —, não posso atender ninguém aqui na França, pois não sou habilitado para isso. Estaria praticando ilegalmente a medicina. Por favor, retorne a ligação e diga-lhe da impossibilidade de fazer isso.

— Eles não são aqui de Paris — retrucou-me —, estão em Poitiers e a filha ganhou o livro da Marielle. Estão dispostos a vir a Paris para que você os veja, não minimizando os custos financeiros para isso.

— Não posso fazer isso. Pior ainda se receber algum tipo de remuneração, isso caracterizaria meu erro. O que posso fazer é receber essa pessoa não como médico, mas como escritor e como cristão, pois jamais podemos nos negar em atender ao pedido de socorro de um irmão. Será um enorme contratestemunho meu se não atendê-lo. Mas onde e como será?

— Vou ligar e falar com eles — disse-me Gisela.

Rápido e prontamente Gisela acertou tudo. A família Vincent estaria vindo a Paris naquela noite para pernoitar em um hotel próximo. No dia seguinte pela manhã viriam ao apartamento para nos conhecer.

Pontualmente às dez horas da manhã, a campainha toca. Entram na sala do elegante apartamento em que estávamos hospedados na Avenue Foch em Paris — um edifício do século XVIII — um casal de idade, Mr. e Me. Vincent, acompanhados por sua filha, Helene.

Logo de início percebi a enorme dificuldade de locomoção do senhor, que tinha um semblante sofrido, triste, absolutamente sem vida, totalmente desanimado. A palavra "desanimado" representa literalmente, pela sua raiz latina, muito mais do que ela é, pois vem de *anima*, que significa alma. Desanimado seria uma pessoa sem alma. Era exatamente como eu via Mr. Vincent, absolutamente sem alma, sem razão de viver, sem um sentido de viver.

Logo que nos apresentamos, ao iniciar a conversa, Helene disse para mim:

– Doutor, vim conversar com o senhor, pois estou totalmente revoltada com o que está acontecendo ao meu pai. Sei que o senhor não pode dar assistência médica a ele, por não ser habilitado aqui na França para isso, mas também de antemão agradeço sua boa vontade em nos atender, no meio de suas férias, com base nos princípios humanitários e cristãos que muito bem escreve no seu livro.

– Estamos vindo de uma consulta com o médico pessoal de papai, que me disse, categoricamente e em alto e bom tom: "Não sei o que você quer ao trazer seu pai aqui ao meu consultório, pois tudo o que podia fazer por ele já fiz. Não tenho nada o que fazer com ele e não posso perder meu tempo com isso". Após essas palavras me desconcertei. Quando cheguei em casa, desesperada, lembrei-me do que tinha lido em seu livro e logo liguei para uma amiga. Ela sabia como encontrá-lo e deu-me seu telefone de Paris. Pois bem, aqui estamos nós.

– Muito bem, Helene – respondi-lhe. – Então vamos lá. Gostaria que seu pai conversasse comigo e contasse toda a sua doença.

Nesse momento, madame Vincent, antecipando-se ao marido, começou a contar-me a história dele. Imediatamente, desculpando-me, disse:

— Madame, perdoe-me, mas gostaria de ouvir apenas seu marido. A senhora me desculpe, mas o momento é apenas dele. Quando for necessário, peço a intervenção sua e de Helene. Tudo bem?

— Sim, doutor — respondeu, não muito contente.

Tive que intervir logo de início, pois senti que a ansiedade feminina, no momento, vindo da esposa, poderia alterar toda a dinâmica da minha conversa. Gosto de ter uma interação muito íntima com meus pacientes, para que minha atuação médica possa ser cada vez mais eficaz. No consultório, quase diariamente, atendo pacientes que, acompanhados por familiares, omitem sintomas. Muitas vezes deixam de me contar situações importantes para meu raciocínio diagnóstico ou mesmo para escolher a terapia mais adequada. Isso sem contar aquelas consultas em que o paciente entra mudo e sai calado!

— *Bonjour, Mr. Vincent, ça va?* — arrisquei meu parco francês.

— *Bonjour, docteur* — respondeu-me, sem me olhar nos olhos, mirando o chão, com uma voz triste e embargada, emitida com muito custo.

Mr. Vincent era um senhor de 78 anos de idade, mas aparentava muito mais. Sua face encovada lhe dava aparência de um morto vivo. Magro, olhos fundos, triste, queixando-se de muitas dores abdominais que o impediam de sair da cama. Tinha cólicas horríveis, não conseguia se alimentar direito, vivendo à custa de sopas e leite. Estava realmente só esperando a morte chegar.

Esse quadro doloroso tinha se iniciado meses atrás. Procurou um médico local que, após terapia sem sucesso, encaminhou-o ao especialista, a fim de fazer uma colonoscopia, ou seja, um estudo mais detalhado de seu intestino com uma sonda retal. O diagnóstico de câncer de intestino foi o resultado de toda a investigação feita e comunicado à família da forma mais profissional possível.

Um dos grandes problemas da medicina brasileira, e talvez da mundial, é o relacionamento médico/paciente. Por causa do grande desenvolvimento tecnológico e da consequente superespecialização dos profissionais, uma ciência anteriormente tida como humana passou a ser classificada como exata. A figura romântica do médico de família, um conselheiro não só para questões de saúde, desapareceu com a globalização e a desumanização da medicina. Deixou-se de tratar o doente, tratando-se a doença. Dessa forma, quando a doença não tem cura, desaparece a função do médico, que nesse momento esquece da tridimensionalidade do ser humano, composto de corpo-alma-espírito.

Tenho observado nestes meus mais de trinta anos de prática clínica cardiológica que a maioria dos pacientes que me procura em consultório não tem doença cardíaca física, mas emocional. Em um livro anterior, *Curando corações*, fiz uma correlação dos fatores de risco para a doença cardiovascular e os pecados capitais, que denominei "fatores de risco para a saúde espiritual". Naquele livro demonstro a importância dos fatores psicossociais, como hostilidade, isolamento social, estresse de trabalho e social, na gênese das doenças cardiovasculares, comparando-os com a ira, a preguiça, a inveja, a soberba, a luxúria, a avareza e a gula.

Na grande maioria dos pacientes que nos procuram por uma dor no peito, essa dor é gerada não por uma doença coronária, mas por uma doença no seu coração, emocional ou espiritual. Um estudo multicêntrico recente realizado em 52 países – cujo objetivo foi detectar quais os fatores de risco em pacientes que tiveram infarto do miocárdio, comparados a indivíduos normais – mostrou que fatores psicossociais estão em terceiro lugar na ordem de ocorrência da doença, acima até da diabetes e da hipertensão, sendo suplantados apenas pelas dislipidemias e pelo tabagismo.

Esses resultados, extremamente divulgados e discutidos nos últimos congressos mundiais de cardiologia, nos fazem refletir um pouco acerca da conduta reducionista do cardiologista moderno. Isso porque sabemos que a maioria dos médicos até então valoriza apenas os fatores de risco relacionados ao estilo de vida. Colocam sempre alimentação, atividade física, acompanhamento da diabetes e da hipertensão em primeiro plano, deixando os fatores psicossociais para o segundo. O estudo em questão também fez nascer no meio cardiológico duas grandes perguntas: Podemos nós, cardiologistas, deixarmos de lado fator tão importante na gênese das doenças cardiovasculares? Devemos enviar todos os pacientes para os psicólogos ou psiquiatras, tendo em vista a falta de familiaridade com esse tipo de patologia?

O consenso atual dirige-se para o surgimento da cardiologia comportamental. É uma nova maneira de ser cardiologista, cujo objetivo era analisar o paciente como um todo. Avaliar seu comportamento nutricional e práticas físicas, assim como todos os fatores emocionais que estão fortemente ligados à ocorrência de doença coronária, ou seja, o doente deve ser visto como "um ser humano que tem uma doença, e não uma doença que está em um ser humano".

No caso de Mr. Vincent, infelizmente tudo se concentrou no aspecto físico do paciente. A ausência de expectativas gerou o desânimo e até a rebeldia da família. Mas voltando à conversa com o paciente, perguntei-lhe:

– O senhor esteve bem até quando? Quer dizer, em que parte da sua vida a saúde começou a se complicar?

Com muita dificuldade, ele começou a me contar sua história:

– Doutor, até pouco tempo atrás eu era uma pessoa normal, gostava de me divertir, de sair, de frequentar bons restaurantes, bons passeios. Aliava tudo isso à minha atividade empresarial, pois sou dono de uma empresa de grande porte, que me traz muitas preocupações, mas muita rentabilidade, o que me permite uma vida econômica tranquila.

Há uns três anos comecei a sentir muitas dores nos joelhos que até me incapacitavam para andar normalmente. Já não estava conseguindo entrar no meu carro, os joelhos estavam endurecidos. Fui obrigado a mudar o modelo de carro que sempre gostei e usei, já que para entrar no meu Mercedes-Benz cupê estava ficando muito difícil. Tive de trocar para um modelo sedã. Isso me deixou extremamente triste e desiludido, porque uma das coisas de que mais gostava na minha vida era esse modelo de carro esportivo. A partir disso comecei a perder o gosto por tudo na vida. Menos de um ano depois, já não queria mais sair de casa para nada, nem para trabalhar e muito menos para me divertir. Minha vida era ficar deitado quase o dia todo.

Comecei a perder o apetite, o sono, enfim, perdi o prazer de viver.

Com os olhos cheios de lágrimas, concluiu:

– Depois apareceu uma anemia que me obrigou a receber algumas transfusões de sangue. E agora esse tumor no intestino, que vai me levar à morte. Tenho muito medo, doutor.

Ao olhar para o meu lado, via Gisela com os olhos mareados abaixar a cabeça. Do outro lado, à minha frente, Helene e sua mãe olhavam espantadas. Foi um momento de grande emoção, pois elas jamais poderiam supor que um homem tão altivo, tão cheio de si, tão determinado como Mr. Vincent pudesse mostrar seus sentimentos. Diferentemente de nós, brasileiros, os franceses são mais contidos, jamais demonstram suas emoções publicamente, mantendo uma polidez diplomática revestindo suas emoções interiores. Mas aquele momento era peculiar e o choro de Mr. Vincent nos comoveu muito.

Fiz algumas ponderações a respeito de sua vida pessoal. Num dado momento, como que explodindo todo um interior escondido, ele disse:

– Doutor, sempre fui dono das minhas atitudes, sempre fui aquele que manda, hoje não presto pra nada, nem pra ir ao banheiro sozinho. É o meu fim!

Após aquelas palavras, um clima de muita emoção tomou conta daquela sala. Em meio a um silêncio indescritível, somente podia ver as lágrimas que caíam dos olhos de Mr. Vincent, de sua esposa e de sua filha.

Nesse momento, madame Vincent, como que recuperada da emoção e não conseguindo segurar sua ansiedade, entrou na nossa conversa e começou a dizer:

— Doutor não aguento mais esse homem. Ele sempre foi o dono da casa, sempre me submeti à sua vontade, deixei de fazer muita coisa para mim por causa dos seus gostos. Enquanto ele ficava com os amigos se divertindo, eu ficava em casa sozinha. Hoje sou diferente, pois saio de casa, deixo alguma coisa para ele comer e só volto à tarde. Aproveito o dia para visitar minhas amigas, passear e me divertir. Não aguento ficar em casa ouvindo suas lamúrias e reclamações.

Helene, ao seu lado, prontamente entrou na conversa e disse:

— E eu, doutor, tenho minha vida pessoal independente, meu trabalho. Não posso ficar cuidando do papai. Temos uma equipe de pessoas para cuidar de toda a parte de enfermagem e de fisioterapia. Ele está muito bem assessorado.

Para evitar maiores desdobramentos, achei por bem encerrar a conversa. Senti que devia haver marcas de ressentimento que estavam prontas para vir à tona a qualquer momento. Isso seria bastante desagradável e improdutivo. Evidentemente que, enquanto via e sentia o ambiente, pude entender tudo o que se passou com a família Vincent: Mr. Vincent, um bem-sucedido empresário, cuja vida se fez em torno de seu trabalho. Toda a essência da sua vida foi focada em sua ascensão profissional, social e econômica. A partir do momento que perde seu "bezerro de ouro"*, representado pelo Mercedes cupê, percebe que seu interior está vazio e que o dinheiro não consegue comprar sua juventude.

Não tenho dúvidas de que o frio convívio familiar foi por muito tempo compensado pela fartura econômica ou talvez por noitadas prazerosas com amigos. A chegada da doença, da incapacidade física, no entanto, veio apresentar--lhe seu vazio interior e, consequentemente, a depressão.

Na minha frente estava um homem que tinha sido a mão forte de uma família, economicamente muito bem, mas totalmente estraçalhada pelo materialismo e pela ausência de Deus. Senti, no entanto, que apesar de todas as mágoas e ressentimentos existentes havia uma vontade de socorrer aquele homem que, apesar dos pesares, era pai e marido.

Percebendo o cenário, expliquei a eles todas as minhas sugestões médicas, para que pudessem conduzir o caso clínico e pedi que ouvissem uma segunda opinião sobre o caso de Mr. Vincent. Lamentei muito não poder atuar como médico, pois tinha certeza de que poderia ajudá-lo, mas não poderia jamais fazê-lo, pela contravenção da lei.

Como cristão, no entanto, não havia impedimento em ajudá-lo. Por isso imediatamente peguei uma caneta, uma folha de papel e desenhei o triângulo da depressão, o mesmo que está no meu livro *Milagres que a medicina não contou.*

---

* Livro do Exôdo, capítulo 32, versículo 1-35.

Ao mostrar as três faces, senti que algo aconteceu entre eles quando falei:

— A ansiedade está relacionada ao que vai acontecer, ao nosso futuro. Posso tratá-la com medicamentos. A melancolia, por sua vez, também é passível de tratamento medicamentoso. Mas o sentimento de culpa, esse não tem remédio que o tire da pessoa. Somente a graça de Deus pode nos livrar dele. E o Senhor pede que não olhemos para trás, como disse Paulo aos Filipenses:

"Prescindindo do passado para viver o que resta pela frente".(4,4)

Iluminado pelo Espírito, fui logo dizendo:
— A doença não é algo ruim. Devemos entendê-la pela fé, pois o sofrimento é um momento excelente para o crescimento espiritual. Acho que vocês deveriam aproveitá-lo para, quem sabe, se harmonizarem um pouco, conversarem, deixarem para trás os ressentimentos e as culpas. Entreguem tudo nas mãos do Senhor e tenho certeza de que tudo ficará muito bem.

Depois de quase duas horas de consulta, eles se foram, deixando uma esperança de harmonia e de paz. Fiquei sabendo, no dia de nossa partida para o Brasil, que Mr. Vincent saiu do apartamento revigorado, aliviado, o mesmo acontecendo com a esposa e a filha. Helene nos disse ao telefone que assuntos jamais tratados conjuntamente em família foram ventilados na nossa conversa. Coisas nunca ditas foram reveladas. Foi um começo de restauração daquela família que nunca tinha conversado, dialogado e muito menos tinha rezado junta.

Quantas pessoas elegem seus deuses na sua vida material e familiar. Quantos colocam como razão de seu viver a prosperidade econômica e familiar ou até sua juventude, deuses de barro que a qualquer momento podem desaparecer, deixando seus adoradores vazios e propensos a se encher de depressão, ansiedade, angústia e, consequentemente, de doenças físicas como infarto, acidente vascular cerebral e morte. Mr. Vincent foi exemplo disso, um homem sortudo, *bon vivant*, amante de restaurantes, de *happy hour* e de viagens com os amigos, repentinamente isola-se de todo esse convívio quando percebe sua pequenez ao não poder mais usar o símbolo de sua juventude: um Mercedes cupê. O destronar do seu deus o coloca em uma situação vazia, muito apropriada para a depressão. Depois vem o câncer e, posteriormente, a morte.

Mr. Vincent morreu quase um ano depois, mas aquela conversa que tivemos foi extremamente proveitosa. A partir daquele dia aquela família começou a se unir, por meio da oração, da palavra de Deus, da Eucaristia e da confissão. Em outras palavras, por meio das pedrinhas destruidoras do Golias da depressão e do desamor. A família Vincent conseguiu entender os desígnios de Deus ao enfrentar o câncer e a depressão fortalecida na fé. Aproveitou esses momentos para eliminar definitivamente todo o ressentimento, toda a raiva, todas as culpas, proporcionando uma melhor qualidade de vida no restante dos dias de Mr. Vincent. Eles realmente puderam entender que:

"O sofrimento é o despertar do espírito". (Vitor Frankl)

A Santa Mônica de Alaor

Conheci Alaor há alguns anos, em um dos eventos da Renovação Carismática Católica. Frequentemente o encontrava, sempre ao lado da esposa, Marilda, intensa ativista do movimento religioso e coordenadora de um grupo de oração muito frequentado na região onde moravam. Deles, apenas conhecia o enorme fervor católico que tinham e o carisma de um casal cujo norte é a vida cristã, e Marilda servia o próximo por meio do dom recebido de Deus: a capacidade de orar pelos outros com o objetivo da cura interior.

Certo dia, no consultório, a secretária anuncia o próximo paciente a ser atendido. Nem me detive ao nome dito pela Isaura, quando de repente vejo Alaor entrando em minha sala:

– Você por aqui, Alaor? Boa noite. Acomode-se.

– Boa noite, Roque. Agora chegou minha vez de vir aqui.

– Tudo bem, vamos ver o que podemos fazer por você. O que está acontecendo?

Alaor estava um pouco ansioso, percebia pelo seu olhar e pela sua voz, sempre entrecortada por uma expressão de riso, que tentava encobrir algo mais profundo. Sem entrar ainda nesses aspectos psicológicos que me saltaram aos olhos, pedi que contasse seu problema, desde o início do aparecimento dos sintomas. Ele começou a falar:

— Sempre fui uma pessoa que gostava de esporte, na minha juventude jogava basquete no time do clube, cheguei à seleção paulista e quase à brasileira. Depois que me casei, aos poucos fui deixando o basquete, substituindo-o pelo tênis. Nunca tive doença alguma, com a graça de Deus, mas há uns cinco ou seis anos, durante um exame físico de rotina, um médico descobriu que eu estava hipertenso. Fiz todos os exames pedidos, cujos resultados foram normais. Estava hipertenso e deveria tomar remédio a vida inteira, pois ainda não se sabe a causa dessa doença.

O tempo foi passando, fazia controles periódicos, nunca deixando de tomar o medicamento prescrito. De duas a três vezes por ano fazia uma visita ao consultório médico. De uns três meses para cá tenho observado que minha pressão não se controla mais, mesmo aumentando o remédio conforme a orientação médica. Tenho sentido muita tontura, dor no peito e sensação de falta de ar com muita frequência. Quase todas as noites fico perambulando pela minha casa sem conseguir dormir. Minha pressão sempre está alta. Por isso resolvi procurá-lo, Roque, porque o médico que me atende há muitos anos parece não acreditar no que estou sentindo. Quando preciso não o encontro, não tenho a quem recorrer quando me sinto mal. Daí achei que chegou o momento de trocar, e o escolhido foi você.

— Obrigado pela confiança. Mas como você sabe que sua pressão está alta?

– Tenho um desses aparelhos digitais e tomo a pressão pelo menos umas quatro a cinco vezes por dia. É claro que, sempre quando não me sinto bem, logo vou ver se é a pressão, já que há história na família de AVC (acidente vascular cerebral), então tenho de estar sempre atento à hipertensão.

– Alaor, você está certo em se preocupar com o AVC. No Brasil, ele é o principal responsável pela ocorrência de mais de um terço de todas as mortes, além de deixar sequelas muitas vezes incapacitantes. Mas, diga-me, quais são os valores quando a pressão está alta?

Tirando do bolso um papel, ele me apresentou um gráfico com a variação dos valores da pressão arterial diária. Era um trabalho de um verdadeiro estatístico, de um matemático, com gráficos multicores, mostrando variações diárias da pressão, cujos valores máximos nunca eram maiores do que 150 mm Hg e mínimos nunca superiores a 90 mm Hg, ou seja, apresentava uma variação absolutamente fisiológica. Muitos pacientes criam uma verdadeira neurose durante o tratamento da hipertensão, querendo às vezes algo impossível, manter sempre os níveis da pressão sempre iguais a 120 por 80, ou ainda nos dizem:

– Doutor hoje minha pressão está alta, está 13. Sempre ela é 12.

Depois de analisar o gráfico apresentado, tive de explicar ao Alaor alguns aspectos da hipertensão arterial que ele não conhecia, embora estivesse sendo tratado por um cardiologista durante todos esses anos.

Assim como o Alaor, muitas pessoas não conhecem a doença que portam, por falta de informação médica, aspecto que dificulta a aderência ao tratamento. Aproveito o momento para dar para você, querido(a) leitor(a), algumas informações úteis a respeito dessa doença que causa tantas mortes em todo o mundo.

HIPERTENSÃO ARTERIAL — A ASSASSINA SILENCIOSA

A hipertensão arterial ou a "pressão alta", como se diz popularmente, pode ser encarada como uma doença ou uma situação que possivelmente leva à ocorrência de doenças do coração e dos vasos.

Não deve ser vista apenas como um simples resultado elevado da medida da pressão arterial. Na maioria das vezes, não provoca sintomas ou os sintomas são gerais (podem ocorrer em qualquer doença), como dores de cabeça, tonturas, mal-estar. Esse é o grande perigo, a pessoa pode viver por muito tempo com sua pressão elevada e praticamente sem sintomas.

Infelizmente, o primeiro sintoma pode ser o AVC, o infarto do miocárdio ou até mesmo a morte. Daí vem o codinome dessa doença: assassina silenciosa. É muito importante entender que quem sofre de hipertensão arterial terá de fazer seu controle por toda a vida, visto que, na quase totalidade das pessoas (95%), não se consegue descobrir sua causa.

Por muitas vezes vejo clientes abandonar a terapêutica medicamentosa que recomendei por acharem que não estão sentindo nada ou por se admitirem curados. Esse é um dos maiores problemas que enfrento no meu dia a dia de consultório, pois é muito difícil o paciente admitir que terá de tomar remédio a vida toda. Outros ficam fazendo autotestes com a suspensão de medicação "só para ver se estão curados" ou "será que eu realmente preciso tomar remédio para a pressão?". Nunca faça essas experiências porque elas podem custar caro demais a você.

Vejam só, havia algum tempo que tinha atendido Cida, uma senhora que há muito não via. Chegou ao consultório em uma cadeira de rodas e não conseguia falar nada, apenas balbuciava algo que eu não entendia. Logo de início percebi que aquela senhora falante e vigorosa que conhecia das consultas anteriores tinha tido um AVC em consequência de uma crise hipertensiva, seguramente porque suspendeu a medicação anti-hipertensiva. É muito triste acontecer esse tipo de acidente, pois dona Cida está literalmente fora de seu convívio social, dependendo de terceiros para suas mínimas necessidades. É o preço que se paga por acreditar que, por não sentir nada, pode-se suspender a medicação.

Outro dia, um hipertenso grave, mas a muito custo absolutamente controlado com três tipos de medicamentos anti-hipertensivos diferentes, católico, foi a um grupo de oração e, lá, uma serva rezou por ele e proclamou a cura da sua hipertensão. A partir desse momento ele parou com sua medicação, pois assumiu toda a graça revelada no grupo.

Evidentemente, uma semana depois chegou ao meu consultório com tonturas fortes, náuseas e formigamentos no braço esquerdo. Tomando a pressão e vendo que estava com 200/140, imediatamente perguntei:

– O que aconteceu? Você está com uma crise hipertensiva. E os remédios?

– Parei de tomar – respondeu.

– Por quê? Quem mandou?

– Foi Jesus – disse-me. – Fui a um grupo de oração e, após rezarem por mim, proclamaram minha cura. Se estou curado em nome de Jesus, como me falaram, logicamente parei de tomar o remédio.

– Acho que você não entendeu o recado que o Senhor lhe deu, pois somente pela graça de Deus é que consegui a duras penas controlar sua pressão. E o Senhor certamente me iluminou para encontrar a associação medicamentosa correta. O Senhor estava curando por meio do médico e do medicamento, como ele mesmo nos diz:

"Honra o médico por causa da necessidade, pois foi o Altíssimo que o criou". (Eclo 38,1)

"O Senhor fez a terra produzir os medicamentos e o homem sensato não os despreza". (Eclo 38, 5)

Essa história ficou muito marcada em minha memória. Ela fortalece o que sempre falo: se você é hipertenso, siga religiosamente as recomendações do seu médico e nunca pare de tomar os remédios por conta própria.

Embora seja ruim ter de tomar remédio durante o resto da vida, na maioria dos casos a hipertensão é facilmente controlada e tratada, a fim de prevenir suas complicações. Além disso, os medicamentos hoje utilizados têm efeito muito potente, com poucos efeitos colaterais e também com boa comodidade posológica. Isso quer dizer que não há necessidade de tomar remédios o dia todo. Em muitos pacientes, apenas um tipo de medicamento que receito já é suficiente para se controlar a pressão e fazer com que o paciente tenha uma vida absolutamente normal e livre das complicações da hipertensão arterial.

A Organização Mundial de Saúde (OMS) estima que haja no mundo cerca de 600 milhões de pessoas com pressão alta, com risco de sofrer infarto do miocárdio, AVC ou insuficiência cardíaca. Metade desses portadores de hipertensão arterial desconhecem sua doença. Mulheres hipertensas têm 3,5 vezes mais risco de desenvolver doença coronariana do que mulheres com pressão normal. Em todo o mundo a hipertensão arterial é a causa de 7,1 milhões de mortes, ou seja, cerca de 13% da mortalidade global.

A prevalência da hipertensão arterial aumenta progressivamente com a idade em ambos os sexos. A prevalência entre os negros é sempre maior em qualquer idade. Até os 40 anos a prevalência é próxima a 10% (20% para a raça negra). Até os 50 anos, chega a 20% (40% para a raça negra). Após os 60 anos, ultrapassa os 40%, atingindo 60% após 70 anos.

Em nosso país existe uma prevalência elevada de hipertensão arterial que chega a 15% da população geral adulta e varia conforme o estudo e a localidade pesquisada de 9% a 30%. Os segmentos sociais mais pobres são os que possuem mais pacientes hipertensos. E é nessa classe social que complicações como AVC são muito frequentes.

As regiões rurais apresentam menor prevalência de hipertensão em relação à metropolitana. O índice de prevalência de hipertensão varia numa mesma população de determinada origem à medida que ocorrem migrações; portanto, o ambiente é um importante fator determinante. A urbanização, os hábitos sociais e a atividade profissional são determinantes maiores.

A medida da pressão arterial

Não gosto muito de que os pacientes fiquem medindo sua pressão em casa. Em primeiro lugar, pela possibilidade de medidas errôneas, que poderão criar situações de angústia sem necessidade. Em segundo, para evitar que os pacientes fiquem dependentes do seu aparelhinho de pressão, tomando medidas a todo instante, criando fator neurotizante que pode piorar a doença e também a relação familiar.

É muito difícil controlar esse tipo de paciente que, a todo instante, fica medindo sua pressão. E sempre atribui a prováveis aumentos da pressão toda sua carência afetiva e todos os seus problemas emocionais. A coisa chega a ser até cômica. Outro dia uma senhora de certa idade entrou desesperada no meu consultório dizendo que estava para morrer, pois sua pressão estava baixa demais. Após examiná-la, vi que estava tudo certo, que ela estava bem. O que estava errado era o aparelho que media sua pressão – aqueles digitais de pulso – que trazia sempre na sua bolsa e estava com as pilhas descarregadas. Esse, sim, era o motivo de sua pressão estar baixa. Ou melhor, estar zero.

Eu poderia contar a vocês, caros leitores, dezenas de histórias que ocorreram com esses aparelhos digitais. Desde aquele senhor que sempre carregava consigo seu medidor de pressão e o usava antes e depois de ir ao estádio de futebol, antes e depois de ver um filme mais agitado. Até aquela senhora que fazia questão de levar seu aparelho de pressão a todos os consultórios médicos que ia para conferir as medidas.

Há situações, no entanto, que sugiro a compra de um aparelho digital de qualidade, em lojas tradicionais de aparelhos médicos. Isso ocorre quando o paciente mora muito longe de um posto de saúde ou quando não pode sair de casa para medir a pressão arterial. Nesses casos, peço que, após comprar o aparelho, o paciente vá até mim para que eu o ensine a usá-lo e também para aferi-lo com os meus medidores de pressão que tenho em meu consultório.

A medida da pressão arterial, pela sua importância, deve ser estimulada e realizada, em toda avaliação de saúde, por médicos de todas as especialidades e demais profissionais da área de saúde.

O esfigmomanômetro (aparelho de medir a pressão) de coluna de mercúrio é o ideal para essas medidas. Os aparelhos do tipo aneroide, quando usados, devem ser periodicamente testados e devidamente calibrados. Os aparelhos digitais devem ser utilizados com bastante cuidado, porque são suscetíveis a muitos erros.

Quando tomamos a pressão arterial, temos duas medidas: a primeira, com um valor mais alto, chama-se pressão sistólica ou pressão máxima. A segunda medida é a pressão distólica, ou pressão mínima. Por exemplo, 140 por 80. Isso quer dizer que a pressão máxima é 140 e a mínima, 80. Para saber se a pressão está fora dos padrões normais, devemos conferir a tabela a seguir:

PAD (mm Hg)	PAS (mm Hg)	Classificação
<85	<130	Normal
85-89	130-139	Normal limítrofe
90-99	140-159	Hipertensão leve (estágio 1)
100-109	160-179	Hipertensão moderada (estágio 2)
≥110	≥180	Hipertensão grave (estágio 3)
<90	≥140	Hipertensão sistólica isolada

Quando for medir sua pressão, esteja certo de: não estar com a bexiga cheia; não ter praticado exercícios físicos; não ter ingerido bebidas alcoólicas, café, alimentos ou ter fumado até 30 minutos antes da medida; ter descansado por cinco a dez minutos, sentado em ambiente calmo e com temperatura agradável; relaxar bem o braço; não falar durante o procedimento.

Toda pessoa que controla sua pressão arterial deve fazê-lo ao menos mensalmente e, de seis em seis meses, consultar seu médico para checar a medicação.

Como cuidar da sua pressão

Medidas comprovadamente eficazes:
- redução do peso corporal;
- redução da ingestão de sal;
- redução do consumo de bebidas alcoólicas; e
- exercícios físicos aeróbicos regulares (30 minutos de caminhadas diárias).

Medidas associadas:
- parar de fumar;
- controlar o colesterol;
- controlar o diabetes;
- evitar remédios que elevem a pressão (anti-inflamatórios, anticoncepcionais, antidepressivos, anti-histamínicos, moderadores de apetite, entre outros) ou uso de substâncias proibidas, como a cocaína; e
- adotar medidas antiestresse (massagem, pescaria, trabalhos manuais, trabalhos voluntários, entre outros).

Princípios gerais da dieta

• adotar uma dieta baixa em calorias, mas balanceada, evitando o jejum e as dietas "milagrosas";

• consumir menos de 200 miligramas de colesterol por dia. O consumo de gorduras saturadas não deverá ultrapassar 10% do total de gorduras ingeridas;

• redução do consumo de sal a menos de 6 gramas por dia (uma colher de chá);

- evitar açúcar e doces;
- preferir ervas, especiarias e limão para temperar os alimentos;
- ingerir alimentos cozidos, assados, grelhados ou refogados;
- utilizar alimentos ricos em fibras (grãos, frutas, cereais integrais, hortaliças e legumes preferencialmente crus);
- ingerir mais alimentos ricos em potássio (feijões, ervilha, vegetais de cor verde-escuros, banana, melão, cenoura, beterraba, frutas secas, tomate, batata inglesa e laranja);
- evitar alimentos industrializados (ketchup, mostarda, shoyu, caldos concentrados), embutidos (salsicha, mortadela, linguiça, presunto, salame, paio), conservas (picles, azeitona, aspargo, palmito), enlatados (extrato de tomate, milho, ervilha), bacalhau, charque, carne-seca e defumados, aditivos (glutamato monossódico) utilizados em alguns condimentos e sopas empacotadas, além de queijos em geral; e
- evitar alimentos ricos em colesterol e/ou gorduras saturadas, principalmente se você tiver, além da hipertensão, níveis elevados de colesterol no sangue: porco (banha, carne, bacon, torresmo); leite integral, creme de leite, nata, manteiga;
- sardinha; frituras com qualquer tipo de gordura; frutos do mar (camarão, mexilhão, ostras); miúdos (coração, moela, fígado, miolos, rim); pele de frango, couro de peixe; dobradinha, caldo de mocotó; gema de ovo e

suas preparações; carne de gado com gordura visível; óleo, leite e polpa de coco; azeite de dendê; castanhas, amendoim; chocolates e derivados; sorvete.

Com tudo o que foi abordado, torna-se claro que o tratamento da hipertensão não se resume somente em usar medicamentos, mas em mudar totalmente um estilo de vida, a fim de atingir a saúde total, ou seja, do corpo, da alma e do espírito. O tratamento do portador de hipertensão arterial se enriquece quando diferentes profissionais, além do médico, estão envolvidos, como o nutricionista, o terapeuta, o enfermeiro, o professor de Educação Física, entre outros. O envolvimento dos familiares do hipertenso na busca das metas a serem alcançadas pelas modificações do estilo de vida é muito importante para que ele consiga atingir todas as mudanças do seu hábito de vida.

O aconselhamento espiritual é extremamente importante como auxiliar no tratamento da hipertensão, visto que existem estudos demonstrando a eficácia da oração na redução dos níveis de pressão arterial. Em livro anterior, *Fronteiras da ciência e da fé*, discuto alguns estudos publicados em revistas científicas sobre o tema.

Esse assunto é polêmico e muito controverso, mas cabe ao profissional de saúde apenas sugerir ao paciente a procura de seu orientador espiritual. Não cabe a ele direcionar o paciente para denominações religiosas nem tampouco praticar qualquer tipo de oração ou coisa parecida no momento do atendimento. É questão *sine qua non* respeitar a individualidade dos pacientes, sendo falta de ética imputar a ele a religião de quem o atende.

A tristeza de Alaor

Depois de explicar a Alaor todas as dicas sobre hipertensão, comecei a examiná-lo e percebi que seu problema era absolutamente outro. Sua pressão estava totalmente controlada com a medicação dada pelo outro médico. E, no momento em que fazia os pedidos de exames, perguntei:

— Alaor, você está me passando uma tristeza profunda. Estou certo? Quer falar sobre isso?

— Quero, sim, Roque – disse para mim. – Está acontecendo algo comigo que não consigo entender, pois de uns três meses para cá comecei a ficar cansado por nada. Deixei o tênis que jogava uma a duas vezes por semana e, para te dizer a verdade, hoje sinto-me cansado para ir de casa ao escritório, coisa que fazia antes com muita disposição. Perdi o prazer por tudo, fico triste sem razão, parece que a vida perdeu o sentido, não tenho vontade de sair e, o que é pior, estou com muito medo de me sentir mal na rua. É só começar a baixar o sol no final da tarde, que começo a sentir medo, insegurança e mal-estar. Tenho uma preocupação imensa com o futuro, penso que de repente posso não ter condições de manter minha família, ou por um problema com minha saúde, ou por falha do meu trabalho. Essa preocupação cresce mais quando percebo que não consigo me concentrar no que faço. As petições que antes fazia num piscar de olhos hoje demoram mais de um dia para ficar prontas. Ando muito inseguro com tudo e com todos. Não consigo pegar no sono, veja como estou hoje, faz três dias que não durmo direito. Ontem não dormi nada, passei o dia inteiro sonolento como se fosse um zumbi. Há momentos que acho que estou ficando louco, pois minha cabeça fica estranha. Parece que estou saindo do meu corpo e só tenho pensamentos ruins, como lembranças do passado, coisas que deveria ter feito e não fiz ou coisas que fiz e não deveria ter feito. Essa culpa me corrói por dentro. Pensei até em morrer!

Ao fazer uma pausa, perguntei:

— Pensou em se matar?

— Não cheguei a tanto – respondeu –, mas acho que isso estaria próximo se não fosse meu lado religioso, que por sinal anda péssimo. Não tenho a mínima vontade de rezar, de ir à missa. Ainda bem que tenho a Marilda, se não fosse ela nem sei o que seria de mim.

Entendi perfeitamente o que estava acontecendo com Alaor: era um hipertenso controlado, mas que passava por momentos difíceis na vida por causa da depressão. Fiz os pedidos de exames habituais e achei por bem já medicá-lo com uma droga antidepressiva, porque percebi que sua situação psíquica era realmente preocupante, levando em conta os altos índices de suicídio em deprimidos.

Ele aceitou bem minha proposta terapêutica. Combinamos de retornar na semana seguinte para conversarmos um pouco sobre seu problema, independentemente de estarem prontos ou não os exames pedidos. Ao sair da minha sala, disse:

— Alaor, sei que não está conseguindo rezar, que não tem força para isso, mas você tem uma grande aliada na sua casa. Peça que a Marilda interceda a Jesus a fim de que esses remédios que receitei sejam eficientes e sem efeitos colaterais. Sei muito bem do poder da oração da Marilda. Gisela e eu também vamos rezar por você.

Um pouco sobre a depressão, a doença do novo século

A OMS classificou a depressão maior como uma das doenças mais sofridas do mundo. Tem prevalência de 3% a 5% em homens e 8% a 10% em mulheres, sendo a quarta década de vida o período de ocorrência mais frequente. Embora possa ter remissão espontânea ou com tratamento, recorre em 90% dos pacientes. É importante fator de risco para doenças cardiovasculares e câncer, pois é causa recorrente de morte.

Homens têm 12% de chance de sofrer depressão e mulheres, 25%. Após o primeiro episódio, a depressão pode voltar em até dois anos em 40% dos casos. Após duas crises, no entanto, há 75% de possibilidade de recorrência em menos de cinco anos. Dez a 30% dos pacientes tratados têm resposta terapêutica incompleta, persistindo alguns sintomas ou distimia (humor deprimido). Essa doença é o maior problema de saúde pública dos Estados Unidos, considerada uma das principais causas de afastamento do trabalho. As consequências anuais dessa doença foram estimadas em 11,5 bilhões de euros no Reino Unido e em 83 bilhões de dólares nos Estados Unidos.

Em nosso dia a dia é comum ouvirmos a palavra "depressão" significando desde um revés econômico a uma profunda tristeza, ou simplesmente momentos de humor deprimido. É importante lembrarmos que a *tristeza* é uma reação normal de nosso psiquismo a perdas materiais ou afetivas (término de relacionamento, separação, divórcio, perda da independência por doença limitante, entre outros). É um sentimento fisiológico que possui um elemento causador e uma duração.

A palavra "depressão" pode representar também uma doença, a síndrome depressiva. Seu conceito é normatizado pela Sociedade Norte-americana de Psiquiatria:

Depressão maior: manifesta-se com pelo menos cinco dos nove sintomas a seguir, sendo um deles o humor deprimido ou a perda de interesse/prazer, presentes quase todos os dias em um período mínimo de duas semanas consecutivas:
- humor deprimido diário, mais acentuado pela manhã;
- perda de interesse ou prazer por quase todas as atividades;
- falta ou excesso de sono;
- aumento ou perda do apetite e peso;
- lentidão ou agitação de movimentos;
- falta de energia ou fraqueza;
- dificuldade de concentração e indecisão;
- sentimentos de culpa e de inferioridade;
- pensamentos de morte ou suicidas.

Distimia: caracterizada pela presença de sintomas depressivos, como perda de prazer ou interesse nas atividades, baixa autoestima e perda de energia por dois anos consecutivos.

Depressão menor: não há necessidade da presença crônica dos sintomas como na distimia, mas alguns dos nove sintomas descritos na depressão maior devem estar presentes.

Depressão atípica: o tipo mais comum de depressão, reconhecida nos consultórios não especializados em psiquiatria. São pessoas que têm alguns dos sintomas descritos para a depressão maior, mas que não atingem os cinco necessários para o diagnóstico. É comum apresentarem fome excessiva com compulsão por massas e doces e consequente ganho de peso e sono excessivo.

Depressão sazonal: forma de depressão que varia com épocas do ano. Mais comum nos países frios, onde o inverno rigoroso impede as pessoas de saírem de casa. No Brasil, pode estar presente nas datas comemorativas de Natal e final do ano, onde as lembranças de entes queridos podem desencadear a depressão.

A depressão maior pode ser uma doença isolada ou fazer parte de uma série de psicopatias, a saber: transtornos do pânico, obsessivo-compulsivos, estresse pós-traumático, doenças cognitivas (demências), transtornos alimentares (bulimia e anorexia nervosa), doenças somatoformes, transtornos da personalidade, distúrbios do sono (apneia obstrutiva do sono) e dependência de drogas. Além disso, pode estar presente em muitas doenças físicas, como: pós-AVC, lesões cerebrais, doença de Parkinson e doenças cardiovasculares, como infarto do miocárdio, câncer e em algumas situações que envolvem o sistema imune, como no lúpus eritematoso sistêmico.

Considerei muito interessante o enfoque sobre a depressão que o psiquiatra brasileiro Geraldo Jose Ballone aborda em seu livro *Da emoção a lesão,* publicado pela Editora Manole, que recomendo a você que tem interesse em entender o relacionamento entre mente e corpo. Ballone considera três sintomas depressivos básicos que podem dar origem à ampla gama de queixas dos deprimidos: sofrimento moral, inibição global e estreitamento vivencial.

O sofrimento moral é um sentimento de autodepreciação, autoacusação, inferioridade, incompetência, pecaminosidade, culpa, rejeição, feiura, fraqueza, fragilidade e mais um sem-número de adjetivos depreciativos. Ele nem sempre é consciente e, às vezes, vem escondido atrás de reações opostas que ofuscam sua realidade. Isso é muito comum quando vemos pessoas se irritar por estar em filas ou, ainda, esbravejar contra seguranças que, cumprindo sua função, pedem documentos para identificação. São complexos de inferioridade, mascarados por atitudes exteriores opostas. Em pessoas de personalidade ansiosa, a baixa autoestima torna os outros inimigos em potencial capazes de depreciar, julgar e avaliar.

O sofrimento moral deve ser considerado o maior responsável pelo desejo suicida das depressões graves. Aparece como prova doentia do ser, de seu fracasso na vida e sua falência existencial.

A inibição global se manifesta por meio da lentidão dos processos físicos e psíquicos do paciente, apatia total, lassidão e é secundária à depressão. O deprimido é desanimado, sem força para nada por ter depressão. Não é porque ele quer, mas por sofrer as consequências da doença. Por isso, não tem sentido dizer ao paciente:

— Você tem que se levantar, tem filhos que a adoram, marido que faz tudo para você, tem de tudo, não lhe falta nada. Olhe para os lados, veja quantas pessoas estão abandonadas pelas ruas.

É totalmente contraproducente insistir para a vozinha deprimida sair de casa e ir passear no shopping center, pois ela vai voltar bem pior. Devemos entender que a depressão é uma doença e que o paciente quer sair daquele estado, mas não consegue. Para ajudá-lo temos que ouvi-lo, entendê-lo, partilhar com ele o sofrimento, temos que lhe dar um ombro amigo para que chore todas as suas culpas, emoções, ansiedades. Temos que lhe dar AMOR!

O estreitamento vivencial é representado pela perda do prazer por todas as coisas que cerca a pessoa deprimida. É o momento que a preocupação, com seu sofrimento, toma conta de todo o interesse de vida do deprimido. Ele não se preocupa com nada a não ser sua dor, seu sofrimento e sua amargura.

Por que tenho depressão?

Várias são as hipóteses que tentam explicar a causa da depressão. Mas até hoje, a despeito do enorme interesse dos pesquisadores, ainda não se chegou a um consenso. Apesar disso, admita-se que seja multifatorial em um eixo biopsicossocial, ou seja, existem vários fatores envolvidos, tanto biológicos como psicológicos ou sociológicos.

Do ponto de vista biológico, há comprovação científica da importância da transmissão genética da doença. Assume-se que os genes podem dar aos indivíduos um substrato psíquico de vulnerabilidade à depressão, que pode se manifestar na presença de eventos estressantes da vida, como uma perda. Existem famílias que transmitem aos seus sucessores os genes da depressão, mas a doença somente se manifestará se houver fatores externos desencadeantes.

Dentro ainda da origem biológica da depressão, devemos ressaltar a importância dos distúrbios dos mecanismos dos neurotransmissores cerebrais. Esses mediadores químicos, representados pela noradrenalina, adrenalina e serotoninas, são responsáveis pela produção e transmissão dos estímulos nervosos determinantes dos movimentos, dos sentidos, das emoções e do funcionamento dos nossos órgãos. Alterações na quantidade desses neurotransmissores ou da intensidade da resposta dos neurônios à sua exposição estão presentes na depressão. Estudos recentes com ressonância magnética funcional vêm demonstrando alteração funcional de diversas áreas cerebrais de pessoas deprimidas. Entre elas, áreas do córtex frontal e striatum.

Existem várias teorias psicológicas que tentam explicar a depressão, mas foi um psiquiatra austríaco, judeu, Victor Frankl, que formulou uma teoria extremamente interessante: a logoterapia. Ele esteve confinado em um campo de concentração durante muitos anos e lá percebeu que o ser necessita encontrar razões para sua existência.

Uma vida sem objetivo, sem razão de ser, fica vazia, sem graça. Daí vêm a depressão e todas as suas complicações. Vivemos em busca de um significado da nossa vida. Por isso nos fazemos perguntas cujas respostas nem sempre sabemos. É próprio do ser humano questionar-se de situações existenciais, como: qual a nossa origem? Qual a finalidade da vida? Como explicar a presença do mal, do sofrimento e a inevitabilidade da morte?

Nem sempre encontramos as respostas suficientes para essas questões, mas é importante estarmos continuamente à procura delas. Hoje em dia, há milhares de homens que são tentados a perder a própria razão e esperança de viver por serem privados das condições materiais mínimas de existência.

A fome, a indigência imposta pelas condições injustas da vida social, a falta de trabalho e a falta de recursos mínimos de educação, de assistência médica e social levam pessoas, tanto em países ricos como pobres, a desconhecer o significado da própria existência. Se elas perdem o significado de sua própria existência, imagine como elas vão ver a vida dos outros. Daí os assassinatos, os estupros, pois ao perderem a razão existencial da vida vivem como animais.

Várias pesquisas têm demonstrado que é mais angustiante para o homem moderno, especialmente para os jovens, a crise provocada pela falta de sentido e significado da vida, o sentimento de vazio, do que a carência ou dificuldades para se adquirirem outros bens. O vazio existencial mostrou-se bastante evidente em um levantamento feito entre cem alunos de Harvard, todos provenientes de famílias abastadas. Uma quarta parte desses alunos duvidava de que suas vidas tivessem algum sentido. As revistas psiquiátricas da Tchecoslováquia informaram que esse mesmo fenômeno ocorria em todos os países socialistas europeus.

Os conflitos de valores ou "frustração existencial" podem levar o indivíduo às neuroses e, consequentemente, à depressão, à ansiedade e à síndrome do pânico.

A procura de sentido para o homem é uma força primária na sua vida. Este é capaz de viver e até mesmo de morrer por causa de seus ideais e valores. Uma pesquisa de opinião pública efetuada há alguns anos, na França, mostrou que 89% das pessoas consultadas admitiam que o homem necessita de "algo" pelo qual possa viver. E 61% afirmaram que havia algo ou alguém em suas vidas por quem estariam dispostos a morrer. Em outras palavras, a vontade por um sentido, na maioria das pessoas, é um fato, e não apenas suposição.

A profunda experiência de Frankl no campo de concentração de Auschwitz levou-o a ter como certo que cada pessoa é um ser único, que pode reter a última reserva de liberdade para tomar uma posição, ao menos interior, mesmo sob as mais adversas circunstâncias. Nessa profunda dimensão do seu eu, sabemos que "não apenas somos, mas a cada momento devemos decidir o que seremos".

Quando somos despojados de tudo o que temos, como família, amigos, influência, *status* e bens, ninguém pode nos tirar a liberdade de tomar a decisão do que devemos nos tornar. Essa liberdade não é algo que possuímos, mas algo que somos. Por isso, todo ser humano possui o poder e a liberdade de elevar-se acima do seu próprio "eu" e tornar-se um ser humano melhor. Temos a capacidade de transformar nossas vidas em algo melhor e diferente, só necessitamos dar nosso "sim" para nossa consciência e para Deus.

A renovação total do homem, no entanto, é árdua, trabalhosa e dolorosa, pois acontece sempre após a perda de valores que ele achava importantes, como fracassos financeiros, de relacionamentos, de entes queridos ou frustrações com ideais não alcançados. É fundamental a certeza de ter a básica motivação para viver, o encontro de um significado e não buscar satisfações, poder ou riquezas materiais, que podem apenas contribuir para nosso bem-estar, mas são simplesmente meios utilizados para atingir um fim, quando usados de forma significativa.

Devemos usufruir dos bens materiais que Deus nos deu, nunca deixando-os de ser a principal razão da existência. Conheci pessoas com sentido de vida focado apenas no dinheiro e bens materiais, que após um desastre econômico entraram em crises depressivas intensas, por não terem consistência espiritual necessária para entender os momentos pelos quais estavam passando.

Devemos estar convictos de que, além de nossas dimensões físicas e psicológicas, possuímos uma espiritual, noética, especificamente humana (espiritual, não no sentido religioso mas no de vida mental ou intelectual que supõe a existência de um princípio de ação transcendente à materialidade do ser).

Como oportunamente explica Joseph Fabri, o homem, na sua integralidade, compreende as três dimensões, mas é a dimensão propriamente humana que permitirá que a pessoa transcenda a si mesma e faça dos significados e valores uma parte fundamental de sua existência. Nesse sentido, cada pessoa é um ser único, vivendo por meio de infinitos momentos únicos e insubstituíveis, cada um deles oferecendo um significado em potencial (isto é, aberto também para o futuro). Se reconhecermos esse potencial e formos capazes de corresponder a ele, nossa vida terá um sentido e a conduziremos de forma responsável.

Para Victor Frankl, unicamente quando nos elevamos à dimensão do espírito (mente) tornamo-nos um ser completo. A dimensão humana é a dimensão da liberdade: não aquela proveniente das condições, quer biológicas, psicológicas ou sociológicas (liberdade de alguma coisa), mas a possibilidade de tomarmos atitudes de acordo com nossas necessidades (liberdade para alguma coisa). Somente nos tornaremos seres humanos completos quando atingirmos essa dimensão de liberdade. Somos prisioneiros da dimensão do corpo, somos conduzidos pela dimensão psíquico-afetiva, mas na dimensão do espírito somos livres. Não apenas existimos, mas podemos exercer influência sobre nossa existência. Podemos não só decidir sobre que espécie de pessoas somos, mas que espécie de pessoa poderemos vir a ser. Dentro dessa dimensão noética somos nós que fazemos a escolha. Ignorar a dimensão espiritual é reducionismo, e eis a origem do mal-estar, da sensação de vazio e de que a vida está desprovida de significado.

Existe em nós uma dimensão espiritual, que faz parte da integralidade do ser humano, se a ignorarmos, esqueceremos de uma parte nossa. Essa inteligência espiritual é a responsável pela enorme necessidade que o ser humano tem de avivar seu lado transcendental. Desde os mais remotos tempos da humanidade, nota-se a procura de um ser superior. O Sol para os egípcios, incas etc. Ou seja, para sua existência o homem precisa que exista Deus. Graças a Deus que Ele existe e olha por nós, pois, se as pessoas não enfocarem seus objetivos e sentidos na dimensão noética, ficarão expostas às decepções da vida, podendo ter enormes consequências psíquicas e físicas. Por isso, acredito que a maior causa da depressão, e a principal razão do aumento dessa doença, nos dias de hoje, é a falta de Deus na vida das pessoas. No momento em que somente existam valores materiais como únicos objetivos do homem, não existindo razão transcendental para viver, construiremos casas em alicerces de areia que qualquer tempestade pode derrubar.

Essas ponderações me fizeram lembrar quando estivemos em Medjugorje, em 1997, onde pudemos ver de perto o que a guerra havia feito com a população da Bósnia e Sérvia. Nas estradas de acesso a esse santuário mariano, há milhares de moradias abandonadas, com geladeiras, fogões, máquinas de lavar e outros utensílios domésticos, todos estragados pela ação do tempo e de saqueadores. As pessoas tiveram de fugir de suas casas com a roupa do corpo, para não ser atingidas pelas bombas. Só levaram consigo aquilo que estavam portando naquele momento, ou seja, a esperança de viver.

Nós, aqui no Brasil, somos felizes por não vivermos as desgraças de uma guerra ou, melhor ainda, por não as conhecermos de perto. Seria muito bom refletirmos sobre o que aconteceu no Iraque, onde milhares de pessoas perderam todos os seus bens, sua individualidade, seu direito de escolha e seu direito de viver, no entanto continuam firmes, lutando por um ideal comum que transcende a razão, e que é o sentido das suas existências.

Tive a oportunidade de acompanhar toda a trajetória da doença do padre Leo, desde o início da sua doença, quando, após uma convulsão, foi internado em um hospital do Vale do Paraíba, até o momento de sua morte no Hospital das Clínicas da Faculdade de Medicina da USP.

Padre Leo, para quem não o conheceu, foi um dos maiores pregadores que já vi. Dono de uma oratória cativante, conseguia mobilizar milhares de pessoas que se acotovelavam para ouvi-lo em todo o Brasil, nos Estados Unidos, no Japão e em Portugal. Morreu aos 45 anos de idade por causa de um câncer extremamente maligno e fulminante. Mas mostrou-me que, quando nosso sentido de vida está focado em Deus, tudo o que passamos é secundário e necessário.

O período de sofrimento doloroso pelo qual passou, entre uma cirurgia e outra, entre uma quimioterapia e outra, entre as centenas de vezes que precisou de analgésicos potentes para aliviar as dores, foi para ele um processo de crescimento interior que serviu de exemplo para todos os que o acompanharam de perto. Uma das suas últimas palavras ditas na sua derradeira homilia nos foi extremamente valiosa, servindo para podermos enfrentar as perdas que a vida certamente nos imporá. Padre Leo disse:

"Viver é administrar perdas! Perdemos tudo no decorrer da vida, posição social, financeira, entes queridos, saúde e outras coisas mais. A única coisa que podemos não perder é a nossa fé em Jesus Cristo".

O retorno de Alaor

Alaor voltou ao consultório uma semana depois da consulta inicial. Logo percebi que as coisas estavam diferentes quando me disse:

— Roque, naquele dia que você me atendeu, logo que saí daqui tomei o comprimido que me deu (tinha lhe dado um comprimido de amostra grátis que estava comigo). Naquela mesma noite consegui dormir.

— Que bom... E a outra medicação? Você teve algum tipo de efeito colateral como preveni?

— Nos três primeiros dias tive um desconforto na região do estômago, um pouco de náuseas, mas tudo isso passou rapidamente.

— E os sintomas da depressão? Melhoraram?

— Para você ter uma ideia, já consegui sair de casa, estou indo à quadra de tênis, o mundo começou a ficar novamente colorido para mim.

— E a Marilda, o que tem falado? Você sabe que quem realmente sabe sobre nosso humor são as pessoas que convivem conosco.

— Roque, você quer perguntar direto para ela?

Respondi que sim. Alaor logo pegou o telefone celular e ligou para a esposa. Interrompendo uma reunião, ela me disse:

— Roque, graças a Deus o Alaor está melhorando, mais participativo, mais concentrado, dorme melhor, ou seja, está voltando a ser o que era.

— Que bom, Marilda, que você percebeu tudo isso, mas não se esqueça de que sua participação nessa melhora é essencial e ocorre de duas formas: como esposa atenciosa e carinhosa e como intercessora, pois essa melhora tão rápida assim só pode ter a mão de Deus.

— Louvado seja o Senhor! — disse-me, ao se despedir.

Preocupado com a remissão da crise, deixei bem claro que deveria manter a medicação por muito tempo, no mínimo seis meses, mas que antes disso voltasse a falar comigo.

Existe uma grande dificuldade de as pessoas aceitarem o diagnóstico de depressão, principalmente aquelas que são engajadas em movimentos religiosos, como se por terem fé estivessem imunes à doença. Absolutamente errado esse conceito, pois a doença não é um desígnio de Deus, é consequência de erros da humanidade. Os maiores santos da Igreja Católica passaram por quadros típicos de depressão. Vejam o que aconteceu com São João da Cruz, quando descreve suas noites escuras. Mas foram nessas noites de escuridão que ele sentiu a luz do Senhor aquecer e iluminá-lo.

Querem noites mais escuras que aquelas que padre Leo passou? Quantas vezes vi esse santo padre sofrer de dor, mas em nenhum momento o vi murmurando, queixando-se ou lamentando-se. Sempre o vi quieto e entregando a Jesus aqueles momentos de sofrimento. Jamais ouvi o padre questionar os porquês de seu martírio, mas sempre notei em seu semblante a paz do Senhor, mesmo nos momentos de maior sofrimento. Era paradoxal e até estranho como um homem com tanta dor podia me passar tanta alegria e tranquilidade. Não existem explicações humanas para esse fato. Só Deus nos dá essa resposta.

Alaor é um homem abençoado por ter uma mulher santa e intercessora a seu lado, que colocando seus joelhos no chão pediu ao Senhor a cura do marido. Naquele dia pedi a ele que não se descuidasse dos remédios que lhe receitei, como também que se preocupasse com sua saúde espiritual, não dando brechas para ação do encardido (como padre Leo chamava o demônio).

"Vigiai e orai, para que não entreis em tentação. Pois o espírito está pronto, mas a carne é fraca." (Marcos, 14,38)

"Estou ficando velha, doutor!"

Foi assim que Daisy me falou, após os cumprimentos iniciais da consulta. Extremamente angustiada, chorosa e aparentando bem mais do que os 45 anos revelados na minha ficha de atendimento, começou a me contar seus sintomas:

— Dr. Roque, venho aqui após ter lido os seus livros. Parece que sou uma das personagens das histórias que o senhor conta. Mas também não venho me sentindo bem já há algum tempo.

— Pois bem, Daisy, comece a contar o que você sente desde o início.

— Há uns três ou quatro anos estive no meu ginecologista para uma consulta anual e também porque minhas regras estavam começando a falhar. Nesse dia, como minha pressão estava um pouco alterada, o doutor pediu que eu consultasse um cardiologista. Fui a um médico do convênio, que solicitou uma batelada de exames e receitou uma medicação para a pressão. Tomei por um tempo e depois parei, pois minha pressão estava normal.

Há uma semana comecei a me sentir mal, com a cabeça pesada, mal-estar e um pouco de tontura. Ontem à noite comecei a sentir uma dor estranha no peito. Por isso estou aqui, doutor.

Continuei todo o protocolo de atendimento, observando rigorosamente todos os detalhes clínicos da paciente. Fiz alguns pedidos de exames e depois perguntei:

— E o seu lado emocional, como anda? Vive bem com o marido?

— Esse é o meu problema, doutor. Minha vida está complicada, pois, apesar de ter um marido bom, que não me deixa faltar nada, sinto falta de tudo, estou sozinha, velha, feia, engordei mais de dez quilos, minhas roupas não servem mais.

E, entre palavras de lamento e choro, disse-me, com a voz embargada e melancólica:

— Estou ficando velha, doutor! É a menopausa!

— Daisy — interrompi —, fale mais sobre você. Até quando você julga que foi feliz? Conte sobre seu relacionamento com seus pais, irmãos, fale algo sobre sua infância.

Um pouco assustada, já que não esperava tais perguntas virem de um cardiologista, disse:

— Tudo mesmo, doutor, desde o começo?

— Sim — respondi —, fale o que quiser. Estou aqui para ouvi-la e assim tentar achar uma solução para sua vida. Estou percebendo que precisa não só de tratar sua pressão, coisa que resolvemos com esse remédio que lhe dei, mas está precisando de auxílio e apoio para o lado emocional. Fale, por favor, o que a está afligindo.

— Doutor, minha vida está sem sentido, todos os dias é a mesma coisa, cuidar da casa, da roupa, assistir à televisão e dormir. O que me salva é a fé que tenho em Deus. Se não fosse Ele, acho que já teria morrido.

— Mas, Daisy, conte para mim como era sua relação com seu pai e sua mãe, fale um pouco sobre sua infância. Passou por alguma experiência traumática?

— Não doutor, minha infância foi normal. Venho de uma família simples, trabalhadora. Meu pai era um homem de pouca fala, correto e muito religioso. Minha mãe sempre trabalhou muito em casa. Éramos cinco filhos. Sempre me dei bem com eles e com meus irmãos, exceto as briguinhas esperadas dentro de uma família grande como a nossa. O João, meu marido, foi o primeiro e único namorado que tive. Casei-me aos 18 anos de idade, sou mãe de três filhos, todos casados. A mais velha me deu um neto lindo.

Como o senhor vê, tudo é tão certinho comigo, Deus foi tão bom para mim que me deu um marido honesto, trabalhador, filhos maravilhosos, ou seja, tenho tudo, mas não me sinto feliz, está faltando não o sei o quê.

— Diga-me, Daisy, desde quando você está com essa tristeza tão grande e com esse desânimo?

— Foi depois do casamento do meu caçula, o Carlito, que notei minha casa muito vazia, passava na porta do quarto deles e ficava imaginando quando todos eles eram pequenos e ficavam grudados na minha saia. Aquela época foi muito difícil para todos, pois não era fácil criar três filhos com o reduzido salário do João. Mas éramos muito unidos e felizes. Adorava quando, na época de férias, os meninos apareciam à tarde com seus amigos, pedindo que eu fizesse bolinho de chuva para eles. Agora tudo acabou, doutor, minha casa é um túmulo. Às vezes, para mudar um pouco o clima, faço um almoço em algum fim de semana para reunir a família.

Mas, que nada, é bem pior, cada vez mais percebo que não tenho ninguém. No Dia das Mães deste ano convidei todos os filhos, noras, genro e meu netinho para almoçarem em casa. Fiz um almoço lindo, passei o sábado todo no fogão, fazendo os pratos que sabia que eles gostavam. Arrumei a mesa com uma toalha de linho que ainda tenho do meu enxoval, coloquei pratos lindos, ou seja, tudo para que eles sentissem prazer e também saudade da casa.

– E aí, Daisy, por que não foi bom? Não ganhou presente? – brinquei um pouco, para desanuviar o clima, pois percebi que algo desagradável tinha ocorrido, ao ver a face contraída que ela revelava.

– Presentes, ganho sempre, meus filhos estão muito bem financeiramente, mas o que aconteceu me deixou muito triste e prometi para mim mesma que nunca mais faria aquilo de novo.

– Mas o que foi, Daisy? Brigaram?

– Pior, doutor, pois chegaram na hora combinada, todos alegres, contentes ao lado da esposa, marido, mãe do marido que é viúva, tia da esposa, ou seja, minha casa ficou como eu queria: cheia de gente. Servi o almoço com o maior amor, só me sentei à mesa para fazer a oração de Ação de Graças que sempre fazemos às refeições, o restante do tempo fiquei servindo os meninos como fazia antigamente. Nem comi direito.

– E aí, Daisy, não era isso que você queria, voltar aos velhos tempos?

– Era, doutor, mas a alegria durou pouco. Comeram, se fartaram, saborearam o manjar branco com calda de coco e ameixa, tomaram um cafezinho e, quando o mais velho disse que precisava ir à casa da sogra, os outros fizeram o mesmo.

A casa ficou vazia novamente e, pior ainda, doutor, fiquei com uma pilha de louças para lavar.

— E o maridão, não ajuda?

— Nem fale isso, doutor, pois ainda tive de aguentar uma outra. Enquanto arrumava a cozinha, o João estava deitado no sofá da sala, roncando como um porco. O senhor acha que isso é vida?

E, chorando, me disse:

— Estou me sentindo um trapo, estou velha, feia e gorda. Tenho muito medo, doutor, medo de ficar sozinha se, Deus me livre, o João morrer.

O quadro da Daisy era claro, estava passando pela fase complicada da mulher, a menopausa, onde as variações hormonais determinam uma série de alterações no organismo feminino, tanto na sua dimensão física como na psíquica.

Como ela estava totalmente focada em seu problema, percebi muito bem que de nada adiantaria qualquer tipo de orientação nesse momento. Sua ansiedade era tanta que a impediria de ouvir qualquer coisa mais séria que eu dissesse. Então apenas falei:

— Sei que você é muito católica e que está cansada de rezar, mas mesmo assim vou pedir que faça uma coisa, além de tomar os medicamentos que lhe dei e fazer os exames pedidos. Você conhece as cinco pedras que Maria pede para usarmos contra os Golias da modernidade? Faça o que

Nossa Senhora nos pediu: terço, leitura da Palavra de Deus, Eucaristia diariamente ao lado da confissão mensal e jejum semanal. O jejum semanal mais correto, na minha opinião, é sair de casa, após tomar o café da manhã, levando alguns lanches que lhe serviriam de almoço. Não os coma e os dê a um pedinte na rua. Isso não é nenhum grande sacrifício, faça e verá como lhe fará bem.

Daisy saiu do consultório e ficou de agendar o retorno assim que tivesse com os resultados dos exames feitos.

Menopausa: sinal de maturidade?

Menopausa é a parada permanente da menstruação, ou seja, é a data da última menstruação após a qual decorreram 12 meses de amenorreia. Esse período de tempo é denominado climatério e ocorre entre os 40 e os 55 anos de idade, ocasionando sintomas em 80% das mulheres.

O que acontece aos órgãos genitais femininos na menopausa?

No climatério ocorre redução dos níveis de um hormônio feminino denominado estradiol, ocasionando com maior ou menor intensidade alterações da anatomia e na fisiologia das estruturas genitais, podendo ocorrer redução dos grandes e pequenos lábios da vulva, além de redução do tamanho do clitóris e rarefação dos pelos pubianos.

Ocorre uma diminuição da elasticidade da vagina, que se torna mais curta, estreita e sem rugosidades. Essas alterações são responsáveis por queixas frequentes no climatério: vagina seca e dispareunia (dor durante o ato sexual). Os sintomas decorrentes da atrofia, como secura vaginal, prurido, irritação e queimor, podem perturbar a resposta sexual e até mesmo determinar sangramento pós-coital. A lubrificação vaginal, em resposta à excitação, que na juventude se dá em segundos, nessa fase precisa de mais tempo para ocorrer, e muitas vezes está diminuída. A penetração em uma vagina não lubrificada é fatalmente dolorosa e pode afetar psicologicamente o casal: a mulher, com medo da dor, pode fugir da relação sexual e o homem, com medo de machucá-la, pode retrair-se. A dor impede o prazer e sua constância pode levar à perda do desejo sexual e à fuga da relação sexual.

Diante desse quadro, quando não houver procura para um tratamento adequado e o parceiro insistir no coito, o resultado será a disfunção sexual conhecida como vaginismo. É quando a mulher, a qualquer tentativa de penetração, reflexamente contrai os músculos perineais e os adutores das coxas, tornando o introito vaginal apertado e quase intransponível.

A queixa de secura vaginal já pode ocorrer na pré-menopausa e deve ser compensada, seja com lubrificantes ou hormonalmente, para não propiciar retração ao ato sexual, pela dor à penetração, e criar um ciclo vicioso.

A perda do tônus muscular pélvico associada à diminuição do colágeno que acontece no climatério acentua a possibilidade de prolapsos genitais e incontinência urinária, levando a infecções urinárias de repetição.

Alterações nas terminações nervosas periféricas, após a menopausa, podem afetar a percepção sensorial ao toque e manifestar-se por parestesia, intolerância a certos tecidos e, até mesmo, aversão ao toque, às carícias. A perda da sensação clitoridiana e a diminuição da capacidade orgástica podem refletir alterações na função dos sistemas nervosos, periférico e central.

Dessa forma, os estrogênios, quanto ao desempenho sexual no climatério, podem ter uma ação benéfica para impedir a atrofia pélvica, lubrificar a vagina, aumentar a vascularização e mediar receptores táteis na pele. Agem indiretamente na sexualidade, além de melhorar os sintomas do climatério e as condições orgânicas (trofismo, elasticidade, lubrificação), habilitando a mulher para a atividade sexual.

Menopausa não quer dizer sexopausa!

A sexualidade no climatério é um assunto que se reveste de crescente importância, diante da maior longevidade alcançada nas últimas décadas, bem como pelas modificações socioculturais ocorridas que permitiram à mulher que se expressasse e exercesse sua sexualidade com plenitude, sem fundamentalismos religiosos e sociais retrógrados que a castravam e a constrangiam.

Apesar de ainda haver incertezas quanto à influência da menopausa sobre a sexualidade, poderíamos dizer que há um consenso de que a libido e a atividade sexual diminuem à medida que a mulher envelhece.

A associação entre climatério e disfunção sexual sugere que as alterações hormonais dessa fase possam exercer um importante papel nessa área. Os sintomas decorrentes do hipoestrogenismo poderiam dificultar a expressão intimista sexual. A partir da pré-menopausa, pode ocorrer declínio nos pensamentos e nas fantasias sexuais, diminuição da lubrificação vaginal e diminuição da frequência das relações, já presentes a partir de dois anos antes da menopausa. Os problemas mais referidos são: perda da libido, vagina seca, dispareunia, perda da resposta clitoridiana, entre outros.

Outros fatores ligados à sexualidade

A idade em si, que acarreta em alterações corporais e estéticas que modificam o padrão de beleza da juventude, pode levar à perda da autoestima e a uma retração. A mulher tem vergonha de mostrar seu corpo. Fatores socioculturais, como o significado cultural e religioso da sexualidade, e até mesmo o possível enfoque pessoal negativo da menopausa, exercem papel significativo no exercício da sexualidade.

As pessoas mais idosas foram, durante muito tempo, envolvidas por uma imagem negativa de pessoas indesejáveis, impotentes e incapazes para reprodução e troca exclusiva de prazer sexual. A sociedade tende a rejeitar a sexualidade das pessoas mais velhas. Felizmente esse enfoque vem mudando aos poucos, quando se vê cada vez mais frequentes novos relacionamentos entre pessoas acima dos 60 anos. A abertura sexual ocasionou, infelizmente, um aumento considerável de doenças sexualmente transmissíveis entre os idosos, causados por relacionamentos sexuais promíscuos.

O aumento da incidência de HIV entre viúvas com mais de 60 anos de idade nos últimos anos provavelmente está associado a práticas sexuais não seguras com homens mais jovens, que não sabiam ser portadores do vírus causador da Aids.

Pacientes histerectomizadas ou mastectomizadas que não superaram essas perdas, sentem-se mutiladas e diminuídas sexualmente. Assim também as que sofreram abuso sexual. A incontinência urinária de esforço e prolapsos genitais são outros fatores que constrangem as mulheres, fazendo com que elas se sintam desvalorizadas e menos sexy. Algumas se beneficiam com terapia de reposição hormonal (TRH) e exercícios fisioterápicos especiais, outras necessitam fazer correção cirúrgica. A presença de depressão, doença maligna, insuficiência cardíaca ou interferência medicamentosa também pode ser responsável pelas perturbações disfuncionais nessa área.

E, finalmente, é fundamental a existência de parceiro não só disponível, mas, como sempre se repete: interessante e interessado, além de apto, para que a sexualidade possa continuar a ser exercida no climatério.

Merece também um destaque especial a falta de comunicação e até mesmo de afeto entre casais. Isso porque, no turbilhão da vida moderna, cultivam cada um sua individualidade, sua mesmice, perdendo assim o elo amoroso que os unia.

Aspectos emocionais do climatério

A dimensão psíquica da mulher pode ser muito afetada durante o período do climatério, pois admite-se ação direta dos estrógenos sobre áreas cerebrais relativas à afetividade e ao humor. Mulheres durante o período da menopausa estão mais suscetíveis a transtornos depressivos, ansiedade e transtornos alimentares.

Alguns psicanalistas têm enfatizado o significado da perda da capacidade de conceber e da feminilidade na menopausa, levando à perda do interesse pelo sexo. Tem se observado que mulheres com história prévia de perturbações psíquicas, suscetíveis a situações estressantes, com baixa estima, são mais propensas a apresentar instabilidade psíquica, ansiedade e depressão na fase da menopausa. Existem situações sociais que podem ser correlacionadas a alterações psíquicas no climatério, como grupo socioeconômico mais baixo, afastamento dos filhos do lar (síndrome do ninho vazio), nível educacional mais baixo e condições socioeconômicas mais limitadas. Mulheres de países ocidentais, onde há valorização de atributos relacionados a beleza, juventude e sexualidade, tendem a apresentar mais complicações no climatério do que as mulheres de países asiáticos, onde a menopausa é encarada de forma diferente, desligada da conotação de envelhecimento, onde a maturidade é respeitada e valorizada, como se observa em países árabes e indianos. Esses povos, por vezes, por iniciativa das religiões, reservam dentro da sociedade posições distintas e veneradas para mulheres na meia-idade exercerem tarefas filantrópicas. A menopausa, nessas condições, é mais leve e menos penosa.

Na menopausa pode-se observar a eclosão da dependência alcoólica, seguida ou não de várias doenças psiquiátricas como esquizofrenias, desvios do comportamento sexual (fixações homossexuais), comportamento psicopático (desvios de conduta), demências pré-senis, depressões e quadros reativos.

A ansiedade é definida como um estado emocional no qual existe sentimento de perigo iminente e caracterizado por apreensão, tensão e temor. É um fenômeno normal, uma resposta transitória ao estresse. No climatério pode-se observar perturbações emocionais na dependência de múltiplas situações: expectativa, conflitos de natureza conjugal, desajuste no trabalho, entre outras. Acompanham a ansiedade o temor e a insegurança. São observadas também a chamada síndrome do pânico, os distúrbios ansiosos generalizados e as neuroses fóbicas.

Doença cardiovascular e menopausa

A doença cardiovascular (DCV) é a principal causa de mortalidade no mundo inteiro. Mais de 30% da população mundial morre de infarto ou AVC, e verifica-se recentemente que, a cada dia, mais mulheres do que homens têm sido vítimas fatais desses males.

A despeito da crescente mortalidade feminina, a preocupação ainda é maior com a prevenção do câncer, ficando as medidas preventivas cardiovasculares relegadas a segundo plano. Isso ocorre porque existe ainda na cultura médica a ideia de que as mulheres são protegidas pelos hormônios femininos. Mas, ainda que a incidência de DCV, nos últimos anos, tenha se reduzido pelos intensos programas de prevenção lançados pelos serviços de saúde, essas recomendações não têm sido aplicadas e/ou seguidas pelas mulheres. Por isso, explica-se o aumento da incidência dessas doenças no sexo feminino e, consequentemente, das mortes.

Mais mulheres morrem de DCV do que homens a cada dia que passa, fato que ainda é desconhecido por muitos médicos. Nos Estados Unidos, 38,2 milhões de mulheres (34%) vivem com DCV. Na China, país com aproximadamente 1,3 bilhão de habitantes, a taxa de prevalência de dislipidemias (aumento do colesterol e/ou triglicérides no sangue) e hipertensão arterial em mulheres entre 35 a 74 anos de idade são de 53% e 25%, respectivamente, índices que explicam a grande incidência de DCV nesse país.

Em todo o mundo, 15 milhões de pessoas sofrem de AVC a cada ano, das quais 5 milhões ficam com sequelas, impedidas de terem vida normal. Cinco milhões e meio de pessoas morreram decorrente do AVC em 2002 no nosso planeta. A mortalidade é maior em mulheres do que em homens: três milhões de mulheres morrem de AVC por ano.

No Brasil os números também são sombrios, pois, em 2004, 248.983 brasileiros morreram por problemas cardiovasculares, ao passo que as causas externas (acidentes, mortes violentas etc.) levaram a 118.664 mortes, o câncer matou 103.100 pessoas e as doenças respiratórias, 88.181.

Tendo em vista a gravidade dessa doença, independentemente da idade, sempre existe a necessidade de prevenção, principalmente nas mulheres com histórico familiar de infarto ou AVC.

Quais são os fatores de risco para a doença cardiovascular em mulheres?

Fatores de risco são condições encontradas nas populações que têm doença ateroesclerótica, isto é, em pacientes com ateroesclerose, que é o endurecimento das paredes dos vasos causado pela deposição de gordura em suas paredes. Essa deposição de gordura não produz qualquer tipo de sintoma até que ocorra a obstrução de uma ou mais artérias. Os sintomas dependem do órgão afetado pela obstrução da artéria. Se a obstrução ocorre em uma artéria do coração, pode vir a angina ou o infarto, em uma artéria do cérebro, vem o AVC e, se surge em uma artéria dos membros, a gangrena e a amputação dos membros.

Os fatores de risco para a doença ateroesclerótica, ou seja, aqueles que predispõem ao endurecimento arterial, podem ser divididos didaticamente em dois grupos: os que não podemos modificar, como idade, sexo, etnia e hereditariedade, e os que podemos intervir com o objetivo de reduzi-los ou eliminá-los, como dislipidemia, HDL – colesterol diminuído – e LDL – colesterol aumentado –, hipertensão arterial, tabagismo, obesidade, sedentarismo, fatores psicossociais (depressão, ansiedade, isolamento social). Há um outro grupo de fatores, cujo papel na gênese da aterosclerose é provável, mas ainda não demonstrado, entre os quais: triglicérides, homocisteína, lipoproteínas e fatores inflamatórios.

Dez mandamentos para manter seu coração saudável

1. Controle seu peso – diga NÃO à obesidade.
2. Consulte seu médico periodicamente.
3. Faça medidas frequentes da pressão arterial.
4. Diga não ao fumo.
5. Evite alimentos muito salgados.
6. Diga não ao sedentarismo. Faça caminhadas de 30 minutos ao dia, todos os dias da semana.
7. Coma de quatro a cinco tipos de frutas e verduras diferentes todos os dias.
8. Se for diabético, FUJA dos doces e, se tiver colesterol elevado, EVITE as gorduras animais.

9. Combata o estresse.
10. Cuide de sua espiritualidade, praticando sua religião de escolha.

"Sede, pois, prudentes como as serpentes, mas simples como as pombas." (Mateus 10,16)

O VAZIO EXISTENCIAL DE DAISY

Daisy voltou com todos os exames pedidos. Com exceção dos pequenos desvios dos níveis do colesterol, dos triglicérides e da pressão arterial, tudo estava dentro dos padrões normais, confirmando o que tinha anteriormente imaginado. Todo o seu problema se concentrava no transtorno emocional que estava enfrentando, situação vivida por muitas mulheres de sua faixa etária.

A sociedade atual – consumista, cujos valores focam o "ter", e não o "ser" – cobra da mulher padrões de beleza absolutamente impossíveis, tendo em vista o passar dos anos. Não é raro vermos mulheres submetidas a cirurgias plásticas faciais deixando-as totalmente desfiguradas, querendo vencer o impossível: o envelhecimento.

Não pense que eu seja contra os procedimentos da cirurgia plástica, tão em moda recentemente. Sou a favor dessas operações, desde que sejam feitas com critérios médicos éticos, visando somente ao bem-estar dos pacientes e nunca ao conforto econômico do cirurgião.

Lamentavelmente vemos pessoas cujo sentido de vida está dirigido apenas a aspectos materiais, sendo seu deus o poder econômico, *status* social, acadêmico e profissional. Quando esses deuses de barro são destruídos pelas perdas próprias da vida, surge o vazio existencial, logo a seguir preenchido pela depressão.

Daisy, assim como muitas mulheres, inconscientemente passaram muitos anos colocando a criação dos filhos sempre em primeiro lugar na sua vida, seus deuses de barro, que foram quebrados quando eles cresceram e foram constituir suas próprias vidas.

Ela frequentava a Igreja sempre que podia, rezava o terço diariamente, sempre ajudava nas festas da paróquia e todos os meses economizava para o dízimo, ou seja, era uma católica praticante. Infelizmente, isso não era suficiente, tudo isso não foi capaz de evitar o vazio existencial, que somente seria eliminado com a presença real de Deus na sua vida. Ouvindo as recomendações de Nossa Senhora, conseguiu se libertar de todas as amarras que a aprisionavam em um passado repleto de lembranças rancorosas, de ressentimentos e principalmente de falta de perdão. Por meio da oração, do arrependimento e da entrega, conseguiu encontrar o Senhor. Quando a vi no consultório, logo percebi que algo tinha acontecido, pois estava calma, serena e tranquila, ao dizer-me:

– Doutor, os problemas continuam lá em casa, sinto a falta de meus filhos, do calor da minha família. Mas agora suporto tudo isso com mais força, porque pude entender que Deus até permite situações ruins acontecerem com a gente, para crescermos, tornarmo-nos pessoas melhores. Tenho momentos de tristeza, de baixa autoestima, mas menos frequentes do que antes, pois não deixo de tomar os remédios que me receitou. Foi Jesus que me ensinou a entregar para Ele os meus problemas nas horas de aflição e sofrimento, e procurar ajudar o próximo que a meu lado pode estar precisando de mais socorro do que eu.

– Que felicidade, Daisy, poder ouvir de você essas palavras. Sei que não foi fácil, foi uma caminhada difícil. Mas perseverando na oração e na certeza de que Deus sempre vem em nosso auxílio, você conseguiu encontrar a Luz do Senhor para iluminar a escuridão da sua vida.

O caso da Daisy é extremamente comum e você pode conhecer ou ser uma Daisy, passando por problemas exatamente iguais aos dela. Assim como Daisy conseguiu encontrar o remédio para suas aflições, você também poderá fazê-lo. Faça como ela, faça de Jesus Cristo a razão de sua existência, destrua os deuses de barro que você talvez nem saiba que esteja idolatrando.

"Eu sou o caminho, a verdade e a vida; ninguém vai ao Pai senão por mim." (João 14,6)

Doutor, estou tremendo de medo!

Um dia, estava na minha sala no Incor, despachando alguns documentos quando o telefone direto toca e vejo que é a Gisela, minha esposa:
— Oi, amor. Tudo bem?
— Tudo. E você? — respondi.
— Com a graça de Deus. Estou ligando para pedir um favor a você. Tem uma moça que trabalha no salão de cabeleireiro que frequento, e ela está passando por um grande problema. E você poderia ajudá-la. Não é uma queixa cardiológica, mas tem muito a ver com o tipo de medicina que você pratica. Poderia atendê-la?
— Claro, meu amor. Peça a ela que ligue para a Isaura, no consultório, e agende um horário ainda hoje.

Naquele dia, meus horários estavam todos preenchidos, mas pedi que ela fosse após a última consulta. Eu jamais deixaria de atender a um pedido da minha querida Gisela, cuja generosidade e amor ao próximo transcendem qualquer tipo de atitude.

No final do meu dia, entra no consultório a Marilene, uma moça de pele morena, estatura mediana e extremamente assustada. Assim que se sentou à minha frente, com os olhos arregalados e voz embargada, ao perceber o grande medo que ela sentia, resolvi quebrar um pouco o clima dizendo:

– E aí, minha filha, você é a queridinha da dra. Gisela? Sei que você é a responsável pela saúde e beleza das unhas da minha mulher. Tenho que tratá-la muito bem, senão "apanho" em casa – brinquei.

Ela, ainda sem graça, riu. E, continuando, falei:

– Filha, pode começar a contar tudo o que você sente, desde o início. Não tenho pressa. Você tem?

Essa pergunta pode parecer idiota, mas, com o atendimento médico impessoal empregado hoje, existem pacientes que, acostumados com consultas instantâneas, ficam angustiados quando peço para contar toda a sua história.

– Desde o começo, doutor?

– Sim, desde o dia em que você começou a sentir o primeiro sintoma.

– Doutor, venho de uma família muito pobre e simples. Meus pais são de muita idade e vivem em uma cidade do interior de Alagoas. Somos pobres, mas muito unidos. Como não tinha possibilidade de estudar na minha cidade, resolvi vir para São Paulo, morar com meus tios, para tentar alguma coisa melhor para mim, pois sabia que existia um mundo melhor aqui no sul do país. Cheguei aqui, lutei contra tudo e contra todos, arrumei um emprego de faxineira em um salão de cabeleireiro, depois consegui fazer um curso de manicure e hoje, graças a Deus, trabalho em um salão muito diferenciado aqui nos Jardins. Nesse salão em que estou até hoje fui crescendo, comecei a cativar muitas clientes, pois sou muito dada com as pessoas.

Converso muito com elas. O senhor sabe, né, doutor, um salão de cabeleireiro parece um consultório de psiquiatria, porque muitas clientes nos contam seus problemas, seus sofrimentos, suas alegrias, e isso nos faz aprender muito sobre a vida. Trabalho muito e sou muito requisitada pela clientela, o que gera ciúmes das minhas colegas de salão, que ficam dizendo que sou "metida" e "fresca". Esse clima vem piorando ultimamente, porque há algumas colegas que até não estão falando comigo. Isso está me deixando muito triste.

Doutor, vivo duas pessoas diferentes, quando estou com minhas clientes participo da vida delas como se fosse a minha. Quando elas vão embora, tenho que viver minha realidade, que é bem diferente da delas. O que está me preocupando, doutor, é que desde o mês passado comecei a sentir muito medo antes de atender uma cliente. Em vez de ficar contente, como antes, quando vinha uma cliente, hoje fico com medo de não conseguir fazer meu trabalho direito, minhas mãos começam a tremer, começo a suar frio, sinto tonturas, meu coração dispara e parece até que vou desmaiar. Mesmo passando mal, começo a atender a cliente, disfarço um pouco até o medo passar e faço meu trabalho. Isso está me cansando muito, é uma batalha que tenho todos os dias. O que está me preocupando, doutor, é: "Será que estou ficando louca? Será que esse estresse vai passar?". Vim aqui porque estou com medo de estar com problema no meu coração.

— Diga-me, Marilene, você sente tudo isso somente na possibilidade de atender um cliente. E fora disso?

— Só na hipótese de atender uma cliente. O que sinto em casa é um desânimo imenso, vontade de só dormir e de não sair. Tenho poucos amigos, não tenho namorado, moro com meus tios, que têm muita idade.

— Você sabe do que você tem medo?

— Morro de medo de a cliente achar que meu trabalho não vai ser bom. Tenho medo de decepcionar as pessoas.

Marilene nasceu em um lar simples, com vários irmãos, em uma época muito complicada financeiramente, pois seu pai estava adoentado e não pôde trabalhar por algum tempo. Veio de uma gravidez não esperada, mas aceita por ter sido a vontade de Deus. Na época de seu nascimento a situação entre os pais não era nada amistosa e, em vias de separação, nem se preocuparam em batizar a menina, deixando para quando ela crescesse. Sua infância foi pobre e, por isso, sempre foi uma menina triste e sonhadora, imaginando que existia um mundo melhor longe de onde morava. Seus sonhos não eram compatíveis com sua realidade. Então na primeira oportunidade, veio para São Paulo em busca de seu ideal.

Perfeccionista no trabalho e exigente com os outros e consigo mesma, sempre se preocupa pelo que os outros acham dela. É de fácil relacionamento e gosta de presentear as pessoas. Nunca chega à casa dos outros com as mãos abanando.

O salão de beleza onde trabalha é o ponto de encontro de *socialites* mais importantes de São Paulo, quase todas suas clientes.

Para uma menina pobre, de família simples que saiu do interior de Alagoas, tudo o que conseguiu foi uma enorme vitória, mas ela estava preocupada, pois se sentia insegura em atender suas clientes. Estava com medo de não conseguir fazer unhas, ofício em que sempre foi muito hábil.

Marilene estava desmoranando, daí pude entender quando me disse:

– Doutor, me ajude, estou morrendo de medo!

Por que as pessoas têm medo?

O medo é uma emoção natural do ser humano, um dos maiores responsáveis pela nossa sobrevivência. É a reação de autopreservação da espécie. Medo e ansiedade caminham juntos, sendo o medo específico (de alguma coisa) e a ansiedade, generalizada (medo de algo desconhecido).

As reações orgânicas ao medo são muito semelhantes às da ansiedade e do pânico. Dependendo da intensidade do medo, o coração dispara e a respiração acelera. Vêm a palidez, proveniente da fuga do sangue dos vasos periféricos, e o suor inundando a pele, principalmente nas mãos. O medo faz cessar as atividades do tubo digestório, paralisando a digestão e relaxando as paredes do intestino, ocasionando a diarreia.

O medo faz parte da normalidade psíquica, quem não tem medo de nada possui com certeza alguma anormalidade. O grande problema é que o ser humano passou a ter medo de vir a sentir medo, ou seja, medo de ter medo, evitando que se passe por momentos de pavor, mas predispondo a sentir medo antecipadamente.

O medo exerce grande influência sobre todo o psiquismo humano, nos conflitos, nos complexos, na memória, no comportamento, nas atitudes e nos sentimentos. Fobias são medos persistentes e absurdos a objetos ou situações específicas, medo este que acaba por fazer com que a pessoa evite esses objetos e situações, gerando situações de intensa ansiedade.

Tenho medo de ser julgada

A fobia social é caracterizada por um medo acentuado, essencial e persistente de situações sociais ou de desempenho pessoal, nas quais a pessoa poderia sentir embaraço ou receio de ser avaliada por outras pessoas. O maior dos medos é daquilo que os outros pensam da gente. Esse tipo de medo não é privativo de pessoas menos privilegiadas culturalmente, é um medo muito intenso, daquilo que não se vê, ou seja, do pensamento dos outros.

A pessoa pode temer também o olhar dos outros, que acha maldoso e invejoso, teme as pragas que os outros poderiam rogar a ela. Essas pessoas evitam envolver-se socialmente com os demais por temerem a dor moral da reprovação, da crítica e do mau juízo. São pessoas inseguras, com baixa autoestima e sentimentos de inferioridade, muitas vezes compensados com presentes ou préstimos a pessoas sem nenhuma intimidade.

A exposição à situação social ou de desempenho provoca quase sempre uma resposta intensa de ansiedade que pode assumir a forma de um ataque de pânico. Esses pacientes podem se esquivar de comer, beber, de falar ou de escrever em público, de urinar em banheiros públicos, de assinar cheques à vista de estranhos, ou de circunstâncias sociais fora do ambiente familiar, onde temem ser humilhadas. Isso acaba por levá-las a grandes prejuízos sociais e profissionais.

O início da fobia social se dá, na maioria dos casos, aos 15 anos, e 90% dos pacientes iniciam seu quadro antes dos 25 anos de idade. A sua prevalência chega a 15%. Acredita-se que a fobia social seja o transtorno de ansiedade mais comum atualmente, muitas vezes associada ao alcoolismo crônico. Muitas pessoas utilizam o álcool ou algumas drogas como relaxantes em ocasiões sociais a fim de evitar as crises fóbicas, o que, não raramente, as leva à dependência. As taxas de prevalência de alcoolismo em pacientes com fobia social pode chegar a 40%.

O medo de Marilene

O quadro de Marilene estava definido. Tinha uma fobia social com medo do mau desempenho no trabalho, por temer decepcionar sua cliente e por ter medo de ser humilhada pelas colegas do salão.

A todo instante, ela dizia para mim:

– Doutor, tenho que mudar, tenho que deixar de viver duas pessoas. Quero ser eu mesma.

Essa sua afirmação me fez pensar quanto tempo essa moça viveu em um mundo imaginário, onde sua verdade era a das suas clientes, criando uma *persona* que aderiu à sua própria face, mas foi incapaz de vencer todo o medo de errar gerado pelo seu "eu" verdadeiro. Reprimiu toda a sua verdade, todas as suas emoções, suas dúvidas, seus valores, para viver uma fantasia, que, guardados, foram desequilibrando seu psiquismo, gerando níveis de ansiedade progressivos até chegar a uma crise fóbica.

Em certo momento da consulta, afastados todos os possíveis fantasmas de algum problema cardíaco que justificasse as crises fóbicas que sofria, sugeri que procurasse orientação psicológica, pois tinha certeza de que uma terapia comportamental a ajudaria muito.

Antes de sair, no entanto, perguntei como estava sua vida espiritual e ela contou que, logo nos primeiros dias em que passou mal no salão, seu patrão, Benito, um católico praticante e homem de muita fé, a levou a um grupo de oração, nas proximidades do salão, onde ficou maravilhada com o bem-estar que sentiu.

Ao saber em que grupo estava indo, pedi que procurasse sua coordenadora, Cinira, mulher de muita oração, cujas pregações inspiradas pelo Espírito Santo são verdadeiras profecias e cuja oração de cura possui uma força inacreditável. Sempre que posso vou, com Gisela, a esse grupo para poder também me alimentar da efusão do Espírito Santo das mãos santas de Cinira.

E lá foi Marilene, com a certeza da sua saúde cardiológica, encaminhada para o tratamento psicológico, mas também orientada para a busca da sua cura espiritual.

A crise fóbica, por mais dolorosa que tenha sido, foi um momento de alerta para Marilene, a fim de que parasse para pensar um pouco sobre sua vida, para reposicionar seus valores, suas necessidades e para que ela se encontrasse com seu "eu" verdadeiro. E nada melhor do que ativar sua dimensão espiritual para isso.

Sempre ouço falar que devemos procurar Deus no amor e na dor, mas é no sofrimento que nosso coração está aberto para nosso espírito, é na dor que reescalonamos os nossos valores, nossas escolhas, nossa vida. Embora vivendo momentos desagradáveis, devemos louvar o Senhor, pois graças a essas situações poderemos ser pessoas cada vez melhores. Louvar o Senhor no sofrimento não é agradecer o sofrimento como sentimento masoquista, mas reverenciar o Senhor por nos dar a graça de aguentar a adversidade, para poder ultrapassá-la e mais tarde entendê-la. Essa é a pedagogia do sofrimento, isto é, ver o sofrimento com os olhos da fé.

Atualmente, Marilene é frequentadora assídua do grupo de oração, já consegue ler e interpretar alguns trechos da Palavra de Deus, reza o terço diariamente e está se preparando para ser batizada.

Voltou ao consultório bem melhor, mais segura de si. Contou-me que as crises estão mais esparsas, já não acontecendo com todas as clientes novas, está dormindo melhor e que deverá iniciar o acompanhamento psicológico logo que puder.

Encontrou no grupo de oração a assistência religiosa e o apoio social de que precisava, e não sabia, achando seu caminho, encontrando a felicidade que tanto procurava, agora desvestida da *persona* antiga, mas revestida pelo poder do Espírito Santo de Deus.

"Renunciai a vida passada, despojai-vos do homem velho, corrompido pelas concupisciências enganadoras. Renovai sem cessar o sentimento da vossa alma e revesti-vos do homem novo, criado à imagem de Deus, em verdadeira justiça e santidade." (Ef 4,22-24)

A METANOIA DE WALTER

Walter tem 52 anos de idade, é alto funcionário da indústria automobilística, na qual exerce papel importante na área de controle de qualidade. Batizado católico, possui dois filhos, já crescidos e encaminhados. Ao lado da esposa, constitui uma família normal dos lares brasileiros.

Sua vida era considerada monótona, pois de segunda a sexta ia para o trabalho, ou seja, saía logo nas primeiras horas da manhã e voltava bem tarde para o jantar. Após a refeição, sentava-se à frente da televisão, via noticiários, um jogo de futebol às quartas-feiras e alguns filmes pornôs após a esposa dormir, coisa que invariavelmente fazia logo após a novela.

Saciava seu apetite sexual com alguns casos extraconjugais, visto que a esposa sempre encontrava algum motivo para evitar o contato íntimo e, quando o fazia, era um momento muito rápido, desprovido de qualidade, ou seja, tinha desaparecido todo o entusiasmo de um casamento de quase vinte anos.

E assim os anos se passaram. Aos poucos a rotina foi corroendo a relação, até que resolveu mudar totalmente de vida, após voltar de uma consulta médica do convênio. Tinha uma batelada de exames para fazer e uma lista de medicamentos para tomar contra a hipertensão arterial. Nesse momento pôde constatar quanto estava velho, desgastado, careca e barrigudo. As chances de ter um AVC ou um infarto e, quem sabe?, ficar paralítico ou até morrer eram grandes.

Nesse dia percebeu que toda a sua vida estava sendo focada em valores materiais, ou seja, era ótimo provedor da família, dava-lhes conforto material e segurança, mas não fazia nada para si mesmo. A única coisa que fez a vida toda foi trabalhar para ganhar dinheiro a fim de conseguir algo, viajar nas férias, comprar um carro novo, verdadeiros troféus para serem exibidos ao mundo exterior, de modo que fossem reconhecidos sua existência e seu valor.

A conscientização dessa realidade geralmente faz com que as pessoas cometam loucuras para recuperar o tempo perdido. Procuram preencher o vazio interior com algo diferente, com algo mais concreto. É o momento da busca do seu "eu" verdadeiro, a metanoia de Jung.

Ao chegar em casa, conversou com a esposa sobre a separação, assunto inclusive já discutido anteriormente pelo casal. Chamou os filhos para comunicar-lhes o fato e, naquela semana, mudou-se para um apartamento que tinha em outro bairro, para começar uma vida nova. Demitiu-se da empresa em que trabalhava, pois não aguentava mais o nível de estresse a que estava sujeito. As cobranças dos superiores, a competição com os colegas, tudo isso foi deixado para trás.

Recebeu uma excelente remuneração financeira da fábrica, o que daria para se manter por muitos anos. Resolveu mudar de profissão, deixou a engenharia para tentar algo com que sempre sonhou: um cargo público no setor de fiscalização federal, no qual teria estabilidade, boa remuneração e, principalmente, a tranquilidade que não tinha na fábrica de autopeças. Mas para isso deveria enfrentar um concurso público difícil e extremamente concorrido, para o qual teria a necessidade de se preparar. Por isso resolveu procurar livros para esses exames em uma livraria.

Ao caminhar pelas gôndolas e prateleiras de uma grande livraria de São Paulo à procura de livros para concurso de auditor federal, deparou-se com um dos meus livros, *Milagres que a medicina não contou*. Parou, começou a folheá-lo, achou interessante o tema, comprou um exemplar e continuou seu passeio. Naquele final de semana, após ler meu livro, resolveu marcar um consulta no meu consultório, pois queria fazer um *checkup* para iniciar essa nova vida que tinha pela frente.

No dia da consulta, entrou na minha sala um homem com aparência mais velha do que a idade anotada em sua ficha, um homem que, queria saber de seu estado físico para iniciar a prática de esportes em uma academia.

Fiz a consulta inicial como costumo fazer. Pedi os exames necessários, mudei os medicamentos que tomava, pois não estavam sendo eficazes, e, no final, perguntei:

— Walter, por que você veio aqui me procurar? Foi pelo livro?

— Sim, doutor, pela enorme curiosidade que fiquei ao ver o senhor tratar sobre espiritualidade com tanta propriedade e naturalidade. Imaginei que, se uma pessoa é capaz de se posicionar nesse campo com tanta coragem e firmeza, ela deve ser bem-sucedida no seu lado profissional. É por isso que estou aqui.

— Mas, aproveitando, diga, como está sua espiritualidade?

— No momento, doutor, estou à procura daquele que o senhor já encontrou: Deus. Minha situação é de mudança total, quero cuidar do meu corpo e também da minha alma.

— Ótimo, já começamos a ver seu lado físico, vamos aos poucos vendo seu psiquismo. Mas gostaria muito que fosse à igreja perto da sua casa. Entre, sente-se ou ajoelhe-se, fique quieto olhando para o Santíssimo, tente conversar com Deus. Ele nos escuta e sempre nos responde, nós é que não O ouvimos.

— Já tenho ido com muita frequência à igreja. Assim que pensei em me separar, venho comparecendo à missa aos domingos. Necessitava de um conforto maior para tomar a decisão final. E foi lá que encontrei a força para isso. Estranho, não doutor, encontrar forças dentro de uma igreja que condena o divórcio?

— Isso pode parecer estranho, Walter, mas não é. Embora a Igreja Católica seja totalmente contra o divórcio, ela também considera nulos casamentos que ocorreram sem a plena consciência do que representa o matrimônio. Esse, sim, indissolúvel. Esse conceito é novo e poucas pessoas o conhecem, pois foi após o Concílio Vaticano II que os Tribunais Eclesiásticos começaram a aceitar processos de nulidade matrimonial com argumentos mais flexíveis do que anteriormente.

— Isso que o senhor disse me conforta, pois acredito que Deus não nos quer infelizes. De que adianta manter uma relação apenas para cumprir um compromisso assumido sem responsabilidade? Quando me casei, a cerimônia religiosa foi feita principalmente para revelar à sociedade uma união, a igreja apenas serviu de local público para tal. Foi uma festa e tanto.

— Sei muito bem o que você quer dizer, pois a realidade infelizmente é essa. Muitos casais ainda se casam na igreja somente para uma figuração pública. É para realizar o sonho de toda noiva ao entrar na igreja cheia de convidados, toda enfeitada e ver o altar com padrinhos todos uniformizados, completando toda uma coreografia previamente estudada para se obter imagens perfeitas durante a gravação da celebração. Se, junto com tudo isso, não tiver a plena consciência do significado real do casamento, ele se tornará nulo porque nunca existiu.

— Doutor, vou fazer o que o senhor me pediu, ou seja, vou frequentar com mais assiduidade as celebrações. Fiz o que sugeriu no seu livro: comprei uma Bíblia sagrada e comecei a ler a Carta de São Paulo aos Filipenses.

— Ótimo! Vamos fazer assim: quando trouxer os exames poderemos discutir alguns assuntos. Tá bom?

Um mês depois Walter voltou com todos os exames. Após constatar que o remédio que lhe tinha receitado controlou os níveis da sua pressão, analisei os exames. Estavam relativamente bem, a não ser um aumento no colesterol e na glicemia.

Após dar-lhe todos os roteiros para sua conduta medicamentosa, sugeri que marcasse uma consulta com minha esposa, a dra. Gisela Savioli, nutricionista, para uma total reestruturação de todos os seus hábitos alimentares. Só assim depois poderia iniciar a atividade física pretendida.

Antes de ir embora, contou que estava frequentando as missas dominicais com muita regularidade. Semanalmente ia a um grupo de orações na sua paróquia. Isso tem sido o grande apoio para a nova vida de solteiro, muitas vezes combinada com uma intensa solidão.

Tempos depois Walter apareceu no consultório totalmente mudado: mais magro, contente e disposto. E tinha vindo para realizar novos exames. Disse que estava em uma fase boa da vida, pois estava estudando muitas horas por dia, algo que não fazia desde os tempos da faculdade, e estava quase apto a prestar o concurso para o cargo tão pretendido.

Encontrou-se na religião católica, fazia suas orações diariamente, frequentava as celebrações, mas não comungava, pois não se achava preparado, já que não conseguia manter a vida celibatária. Estava feliz, vivia um intenso namoro com uma moça bem mais nova que ele, que o completava por inteiro.

Como sempre, pedi os exames de controle e o deixei ir embora, todo contente e feliz da vida. Menos de um mês depois voltou com os exames. Constatei então uma alteração na chapa dos pulmões, que poderia ser uma cicatriz de algo antigo. Pedi uma tomografia de tórax para elucidar o achado, conduta que qualquer clínico faria. Não fiquei sabendo o resultado desse exame e me esqueci totalmente do caso, até que menos de um ano depois ele apareceu em meu consultório dizendo:

– Sabe aquela tomografia que o senhor pediu?

– Sei, sim, faz quase um ano.

– Fiz em seguida, mas não pude trazer o resultado para o senhor. Assim que peguei o exame do laboratório, fui encaminhado a um cirurgião de tórax, que imediatamente me internou e me operou.

– Operou o quê, Walter? – perguntei, assustado.

– Aquela manchinha que o senhor viu na chapa era como a ponta de um iceberg, pois por trás dela existia um tumor maligno do pulmão, que estava quase indo para o brônquio.

– Nossa, Walter, que coisa espantosa. Você não estava sentindo absolutamente nada quando veio aqui na última vez?

– Nada, doutor, nem uma tossinha nem nada.

– Pode ser, pois o cirurgião conseguiu extirpar o tumor antes mesmo de ele atingir o brônquio, quando certamente lhe ocasionaria tosse ou qualquer outro sintoma.

Foi exatamente isso o que aconteceu. Walter teve um tumor maligno do pulmão, que graças a Deus foi detectado a tempo. Mostrou-me todas as tomografias feitas e outros exames de controle. O câncer não estava presente. Pedi exames de rotina, além de outra tomografia de controle, pois já havia passado seis meses do último exame.

Antes de ir embora, ele disse:

– Doutor, o senhor foi responsável por toda a mudança da minha vida, pois somente após estar em paz com Deus pude realmente reiniciar minha vida. Depois desse enorme baque do câncer, pude ver as coisas de forma diferente, valorizando cada vez mais a presença de Deus na nossa vida. E isso devo ao senhor, pois foi por meio do seu livro, que "por acaso" estava na prateleira de uma livraria onde procurava literatura para prestar concurso, que encontrei o caminho para Deus.

– Walter, fico feliz em ter sido um bom instrumento para o Senhor – disse-lhe, despedindo-me.

Pouco tempo atrás confesso que ficava constrangido quando as pessoas falavam de mim da forma como Walter o fez. Assim como, quando me sentia usado por Deus para servir a Sua obra, sempre me questionava se isso não seria muita pretensão minha.

No dia em que o meu livro *Fronteiras da ciência e da fé* saiu da editora, fiz questão de levar o primeiro exemplar a padre Leo, que estava internado no Incor. Assim que cheguei, logo após cumprir meu ritual diário com ele, ou seja, pedir sua bênção, beijar suas mãos e imediatamente ter minhas mãos beijadas por ele, disse-lhe:

– E aí, grande padre Leo, tudo bem com o senhor?

– Tudo bem, graças a Deus. E você, Roque?

– Graças a Deus tudo em ordem, padre. Mas hoje trouxe-lhe meu novo livro. Se puder, gostaria que o lesse. Se tiver alguma coisa que não concorde, por favor avise-me, para que, na outra edição, eu corrija. E continuei:

– Padre, não é um livro como os seus. É um livrinho em que coloco minhas ideias sobre a ciência e a fé.

Com um olhar severo e voz forte e brusca, bem ao jeitão de padre Leo, disse-me:

– Livrinho, não! Se você é um instrumento de Deus, algo de que tenho certeza, não pode fazer um livrinho. Deus não usa instrumentos pequenos, Deus sempre nos dá o melhor. Tudo o que é diminutivo, como bonzinho, livrinho, é coisa do encardido.

– É isso, padre. É por isso que sou um dos seus maiores admiradores. Sua sabedoria é grande, é Deus falando por você.

Depois desse dia, nunca mais achei estranho falar bem do que faço, nunca mais me constrangi quando os pacientes agradecem meu comportamento. Faço tudo a serviço de Deus e dos outros. Peço a Deus que me livre do demônio da soberba e da vanglória e peço a você, que neste momento está lendo essas linhas, sua intercessão ao Senhor, para que Ele me livre desses vícios capitais, rezando uma Ave-Maria em minha intenção e outra pela alma do meu querido amigo e irmão santo padre Léo. Obrigado, Deus abençoe.

Walter voltou com os exames e, ao ver a tomografia de tórax, notei ausência total de evidências mínimas de volta do tumor. Mas surpreendentemente percebi que o diâmetro da artéria aorta estava muito aumentado em relação ao último exame: era um aneurisma da aorta ascendente que tinha se instalado.

Seu diâmetro, no entanto, não era suficientemente grande para ser feita uma cirurgia no momento. Mesmo assim, levei as imagens para que meu grande amigo, o competente prof. Noedir Stolf, as analisasse, uma vez que ele era um dos maiores nomes em cirurgia cardiovascular do Brasil. Noedir concordou em reavaliarmos o caso dentro de seis meses com nova tomografia.

Quando dei a notícia do aneurisma da aorta e a possibilidade cirúrgica ao Walter, ele não se alterou. Isso porque tinha absoluta certeza de ter Deus ao seu lado, principalmente se nos lembrarmos de como foi descoberto seu tumor de pulmão.

Na hora da despedida, disse-lhe:

– Walter, vá com Deus e que Ele o abençoe. Com relação ao aneurisma, não tenho a mínima preocupação. Assim como no caso do tumor, você está extremamente protegido por Ele.

"Provai e vede como o Senhor é bom. Feliz o homem que se refugia junto dele." (Salmo 33,9)

Curiosidade pode matar!

Conter o impulso de abrir os resultados de exames ao recebê-los do laboratório é tarefa impossível para ansiosos. Isso é, até certo ponto, esperado, mas nem sempre aconselhado, pois pode ocasionar interpretações errôneas às vezes difíceis de serem eliminadas.

Assim que me formei, como a maioria dos estagiários do hospital, dava plantões extras, já que tinha necessidade de complementar minha renda pessoal. Se por um lado foi cansativo acumular as obrigações acadêmicas com as necessidades econômicas, por outro foi muito importante esse tempo. Permitiu-me ganhar enorme experiência em urgências cardiológicas e também aprender a saber lidar com pacientes particulares, vivência impossível, naquela época, no ambiente do Hospital das Clínicas da Faculdade de Medicina da USP.

Foi muito bom esse tempo. Pude trabalhar ao lado de profissionais que muito me ensinaram. E isso tanto do ponto de vista técnico quanto do humanista. Um deles é meu querido amigo Eurico Thomaz de Carvalho Filho, um dos maiores médicos que conheci em toda a minha vida.

Euriquinho, como o chamávamos e ainda o chamo, embora nosso patrão, dava um duro danado a nosso lado durante os plantões na saudosa Unidade Cardiorrespiratória de São Paulo, momentos em que fazia questão de, a despeito do cansaço, sempre me orientar e me auxiliar quando necessitava. Ele era o esteio daquela unidade e, embora trabalhando em situações em que a vida dos pacientes sempre estava em risco, nunca deixou de ver o doente como um ser que sofre as consequências de uma doença. Foi e é o modelo de médico para mim. E tenho certeza para muitos que por lá passaram.

Após concluir o curso de especialização em Cardiologia, coordenado pelo prof. Luiz Venere Decourt, enquanto não definia minha vida profissional, permaneci mais tempo trabalhando na unidade, ganhando mais experiência e também um pouco mais de dinheiro. Como ficava várias tardes por semana de plantão, pedia aos pacientes atendidos na urgência e sem médico assistente que retornassem para avaliação. Com isso comecei a formar uma clientela regular e agendada.

Certo dia, em um dos tantos chamados domiciliares, ao chegar a uma residência no Jardim Europa, logo ao entrar senti o drama. Estava uma confusão enorme, porque o chefe da família estava morrendo. Com todo o ímpeto dos meus 25 anos, subi correndo as escadas do sobrado e, em dois passos, estava no quarto do paciente, que pálido e suando frio queixava-se de dor intensa no peito.

Afastei a família, que em cima de mim atrapalhava o exame que fazia no paciente, e pedi ao enfermeiro que me acompanhava para ligar o aparelho de eletrocardiografia. Enquanto rodava o eletro, apliquei no paciente uma injeção para tirar sua dor e também acalmá-lo. O eletro foi normal.

Aos poucos a dor foi passando e, nesse intervalo, pude conversar com o paciente, chegando à conclusão de que o quadro não era sugestivo de patologia coronariana, mas de uma dor torácica provavelmente por causa do excesso de exercício físico que aquele senhor tinha feito durante o dia. Mas o melhor era que não havia a mínima possibilidade de ele morrer pelo que estava sentindo.

Amenizados os ânimos, pedi que retornasse ao consultório da unidade para controle e outros exames.

No dia marcado, entrou no consultório muito agitado, preocupado com o ocorrido na sua casa e também um pouco desconfiado da minha capacidade profissional, pois como todo jovem da época usava cabelos longos à moda dos Beatles, e a cara de moleque era impossível de ser disfarçada. Como diz o compositor e amigo Nelsinho Correa, "saudade se tem daquilo que é bom".

Naquela época, o HC tinha sido o primeiro hospital do Brasil a receber um aparelho de ecocardiografia dos Estados Unidos pelas mãos de Juarez Ortiz, um dos nossos companheiros de HC. Era um aparelho enorme e foco de todas as atenções da segunda clínica médica do HC. Todos queriam aprender o método diagnóstico recém-chegado. E Juarez, com muita dedicação, nos repassava tudo o que tinha aprendido durante seu estágio nos Estados Unidos.

Com o ecocardiograma pudemos diagnosticar com maior precisão muitas doenças até então de difícil reconhecimento. Podíamos ver mais de perto uma alteração da valva mitral (aparelho valvar que separa o átrio do ventrículo esquerdo), que se chama "síndrome do prolapso mitral".

Essa síndrome tinha sido há pouco tempo descrita por um norte-americano, dr. Barlow, e foi encontrada em jovens, na maioria mulheres, entre 20 e 25 anos de idade, o que ocasionava uma variedade de sintomas que ia desde uma dor no peito sugestiva de angina até palpitações de arritmias cardíacas.

Não se sabia ao certo sua evolução e sua fisiopatologia; a bem da verdade, pouco sabíamos a respeito da síndrome do prolapso mitral, isto é, tínhamos consciência das suas implicações cardiológicas, mas também estávamos cientes de que, na maioria das pessoas, os sintomas não eram decorrentes de alterações do coração, mas de distúrbios neurovegetativos. Era o que chamávamos, na época, de neurastenia cardiocirculatória, ou piripaque, ou piti, ou neurose histérica.

Lembro-me muito bem de que, em um dos primeiros trabalhos que li sobre o assunto, os autores demonstravam a presença de prolapso mitral em portadores de ansiedade, sem no entanto correlacionar os dois achados.

Era muito comum nos plantões o atendimento de jovens desesperadas que se encontravam à beira da morte por um ataque cardíaco. Na verdade eram crises de extrema ansiedade decorrente de problemas emocionais, muitas vezes relacionados a desencontros amorosos. No dia seguinte ao atendimento, pedíamos uma série de exames para afastar comprometimento cardíaco, entre eles, evidentemente, o ecocardiograma, e não raro aparecia o fantasmagórico "prolapso mitral".

Esse procedimento foi repetido com aquele senhor que havia atendido em casa, pois entre os exames de laboratório, teste ergométrico e radiografia do tórax estava o ecocardiograma, que somente Juarez Ortiz sabia fazer no seu aparelho recém-chegado dos Estados Unidos, na sua clínica da rua Thomas Carvalhal.

Uma semana depois recebo uma ligação urgente. Era aquele senhor a quem pedi o ecocardiograma. Desesperado, pediu que o atendesse naquele momento, pois achava que ia morrer. Tinha aberto o envelope com o resultado do ecocardiograma e, ao ler a conclusão, interpretou a palavra "PROLAPSO" como "COLAPSO". Vocês podem imaginar o sofrimento desse paciente?

Logo que desliguei o telefone, resolvida aquela situação, comecei a imaginar a dificuldade que teria em dizer a uma pessoa com crises intensas de ansiedade que ela é portadora do prolapso mitral, sem supervalorizar o problema ou minimizá-lo. O pior é que essa dúvida continua até hoje, pois, por mais que se estudou o prolapso mitral, desde seus padrões de diagnóstico que mudam a cada ano, congresso a congresso, até sua história natural, ainda persistem as interrogações e os questionamentos, embora já se tenha um consenso a respeito da evolução dessa doença.

O que é o prolapso da valva mitral?

É uma síndrome descrita nos anos 1970 e associada à anormalidade do aparelho valvar que separa o átrio do ventrículo esquerdo, a valva mitral.

Há estatísticas que revelam prevalência mundial de 5% a 15%, mas estudos mais recentes, com critérios diagnósticos mais rígidos, mostram índices de prevalência de 2,4%.

O que os pacientes sentem?

A maioria dos pacientes é assintomática, e o diagnóstico é feito por meio de um exame médico de rotina ou em qualquer situação em que se faz um ecocardiograma.

A queixa mais comumente apresentada é a palpitação – sensação de disparo súbito do coração. Esse sintoma é com frequência relatado por pacientes que não apresentam alterações ao eletrocardiograma no consultório. Outra queixa também frequente é o desconforto torácico, ou dor torácica, admitida pelos pacientes como de origem cardíaca, mas absolutamente distinta da angina de peito.

São muito comuns também sintomas de ansiedade e pânico como: sudorese fria, palidez, tonturas, sensação de desmaio, falta de ar e palpitações. Interroga-se se são realmente causados pelo prolapso mitral ou se estão aleatoriamente associados por causa da alta prevalência da ansiedade e do prolapso na população.

Entre a população, a cada cem pessoas com o problema, duas terão alguma alteração mais séria. Homens e mulheres com PVM têm a mesma expectativa de vida de quem não apresenta o distúrbio. Podemos enumerar as complicações em aumento do átrio esquerdo, possíveis arritmias e, considerando-se a longo prazo, insuficiência cardíaca. Quando fizer cirurgias ou for ao dentista, quem possui PVM pode contrair com mais facilidade algum tipo de infecção cardíaca (endocardite). Por isso é importante avisar médicos e dentistas sobre o distúrbio.

A associação do PVM a eventos cerebrais isquêmicos transitórios é raramente percebida. Entre esses eventos estão déficits neurológicos de curta duração, decorrentes do desprendimento de partículas da VM para a circulação cerebral.

Doutor, tenho prolapso mitral, o que faço da minha vida?

É muito importante que os portadores de prolapso mitral conheçam a patologia, a fim de que possam tomar os cuidados necessários nas situações em que podem ocorrer complicações, como durante um tratamento dentário no qual a profilaxia com antibióticos pode prevenir a endocardite infecciosa.

Os portadores de prolapso mitral com queixas ansiosas devem ser acompanhados por profissionais da saúde mental, tendo em vista a grande comorbidade com transtornos da ansiedade, entre eles o transtorno do pânico.

O cardiologista deve orientar e tranquilizar esses pacientes, mostrando com informações adequadas a evolução natural benigna do prolapso mitral. Eles devem levar uma vida saudável, com uma alimentação balanceada e exercícios físicos regulares, ou seja, recomendações importantes para qualquer cidadão.

Para aqueles com prolapso mitral sem repercussão cardiológica, sugere-se controle ecocardiográfico a cada três anos. Já os com comprometimento, como insuficiência da valva mitral e arritmias, o controle deverá ser anual. A necessidade de correção cirúrgica da valva é muito rara.

Como dizer ao portador de transtorno do pânico que também tem prolapso mitral?

Essa situação, como vimos é muito frequente, tendo em vista a grande prevalência do prolapso mitral e dos transtornos da ansiedade na população mundial. Provavelmente a ocorrência simultânea dessas entidades nosológicas seja apenas produto da sua enorme prevalência, não havendo nada que as interligue.

Imagine você, caro(a) amigo(a), a delicada situação do médico que, após atender um paciente durante um ataque de pânico, resolve fazer uma série de exames cardiológicos com o objetivo de mostrar sua normalidade cardiovascular. Quando analisa o ecocardiograma vem o diagnóstico: síndrome do prolapso mitral. E aí? Como fica o paciente? Como dizer a ele que não tem nada no coração com o resultado do ecocardiograma?

Uma vez um paciente me falou:

– Doutor, o senhor me desculpe, mas como não tenho nenhuma doença no coração, com esse nomão que apareceu no eco? Prolaaaaaaaaaapso?...

É difícil realmente e, mesmo que o paciente aparentemente concorde com os argumentos dados no consultório, ao chegar em casa, imediatamente vai consultar os sites de busca da Internet para navegar atrás da informação nem sempre cientificamente correta, mas que pode causar enormes estragos em seu psiquismo.

É muito importante que, durante a consulta, o médico oriente e convença o paciente da realidade da patologia e da benignidade da sua evolução, utilizando o tempo que for necessário para isso.

Mas o maior problema de tudo o que foi abordado anteriormente está nos diagnósticos falsos, decorrentes da grande variação dos padrões de normalidade existente em épocas passadas. Quase sempre recebo paciente com diagnóstico de PVM, que não é comprovado com novo exame.

Isso me fez lembrar de um dia que estava em um encontro da Renovação Carismática Católica. Durante o intervalo de almoço, o pregador da tarde procurou-me para mostrar exames de uma pessoa que se dizia agraciada com um milagre de cura física.

Achei muito prudente seu comportamento, pois queria minha opinião médica sobre o caso, para que mais tarde o apresentasse para os presentes. Ao ver os exames, um deles era justamente um ecocardiograma antigo em que havia o diagnóstico de PVM que não foi confirmado por um exame mais recente. O paciente atribuía essa "cura" a um milagre, que evidentemente não existiu, assim como o prolapso.

De tudo o que falamos nessa história fica um lembrete ou, talvez, um conselho:

Nunca abra seus exames longe do seu médico, não crie mais problemas em sua vida. Curiosidade pode matar!!!

Bibliografia

AVEZUM, A. et al. Fatores de risco associados com infarto do miocárdio na região metropolitana de São Paulo. Uma região desenvolvida em um país em desenvolvimento. *Arquivos Brasileiros de Cardiologia*, vol. 84, n. 3, 2005.

AVILLES, J. M.; WHELAN, E.; HERNKE, D.; WILLIAMS, B. A.; KENNY, K. E.; O'FALLON, M.; KOPECKI, S. L. Intercessory prayer and cardiovascular disease progression in a coronary care unit population: a randomized controlled trial. *Mayo Clinic Proceedings*, n. 76, p. 1196-1198, 2001.

AZARI, N. P.; NICKEL J.; WUNDERLICH, G.; NIEDEGGEN, M.; HEFTER, H.; TELLMANN, L. et al. Neurocorrelates of religious experience. *European Journal of Neuroscience*, vol. 13, n. 8, p. 1649-1652, 2001.

BALLONE, G. J.; PEREIRA NETO, E.; ORTOLANI, I. V. *Da emoção à lesão: um guia de medicina psicossomática*. São Paulo: Manole, 2002.

BARLOW, D. H. *Manual clínico dos transtornos psicológicos*. Porto Alegre: Artmed, 1999.

BENSON, H.; DUSEK, J. A.; SHERWOOD, J. B.; LAM, P.; BETHEA, C. F.; CARPENTER, W. et al. Study of the therapeutic effects of intercessory prayer (STEP) in cardiac bypass patients: a multicenter randomized trial of uncertainty and certainty of receiving prayer. *Am. Heart J.*, 151, p. 934-42, 2006.

BERNARDI, L.; SLEIGHT, P.; BANDINELLI, G.; CENCETTI, S.; FATTORINI, L. et al. Effect of rosary prayer and yoga mantras on autonomic cardiovascular rhythms: comparative study. *British Medical Journal*, n. 323, p. 1446-1449, 2001.

BLACK, P. H; GARBUTT, L. D. Stress inflamation and cardiovascular disease. *Journal of Psychosomatic Research*, vol. 52, p. 233, 2002.

BYRD, R. C. Positive therapeutic effects of intercessory prayer in a coronary care unit population. *Southern Medicine Journal*, 81:826-29, 1988.

CARNEY, R. M. et al. Depression as a risk factor for post--MI mortality. *Journal of the American College of Cardiology*, n. 44, p. 472, 2004.

CLARK, A.; SEIDLER, A.; MILLER, M. Inverse association between sense of humor and coronary heart disease. *International Journal of Cardiology*, vol. 80, p. 87-88, 2001.

FUTTERMAN, L. G; LEMBERG, L. Anger and ccute coronary events. *American Journal of Critical care*, n. 11, p. 574, 2002.

GIORDANO, J.; ENGEBRETSON, J. Neural and cognitive basis of spiritual experience: biopsychosocial and ethical implications for clinical medicine. *Explore*, 2006, vol. 2, p. 216-25.

GOLDSTON, K.; BAILLIE, A. J. Depression and coronary heart disease: A review of the epidemiological evidence, explanatory mechanisms and management approaches. *Clinical Psychology Review*, 2007, [no prelo].

GUS, I. et al. Prevalência, reconhecimento e controle da hipertensão arterial sistêmica no Estado do Rio Grande do Sul. *Arquivos Brasileiros de Cardiologia*, vol. 83, p. 424, 2005.

KETTERER, M. W.; MAHR, G.; GOLDBERG, A. D. Psychological factors affecting a medical condition: ischemic coronary heart disease. *Journal of Psychosomatic Research*, n. 48, p. 357-67, 2000.

KOENIG, H. G. *Spirituality in patient care: why, how, when and what*. Pensilvânia: Templeton Foundation, 2001.

KOENIG, H. G.; COHEN, H. J. *The link between religion and health: psychoneuroimmunology and the faith factor*. Oxford University Press, 2002.

KOENIG, H. G.; McCULLOUGH, M. E.; LARSON, D. B. *Handbook of Religion and Health*. Nova York: Oxford University Press, 2001.

KOK, H. S.; VAN ASSELT, K. M.; VAN DER SCHOUW, Y. T.; VAN DER TWEEL, I.; PEETERS, P. H. M.; WILSON, P. W. Disease risk determines menopausal age rather than the reverse. *Journal of the American College of Cardiology*, n. 47, p. 1976-1983, 2006.

KOP, W. J. et al. Effects of mental stress on coronary epicardial vasomotion and flow velocity in coronary artery disease: Relationship with hemodinamic stress responses. *Journal of the American College of Cardiology*, vol. 37, p. 1359, 2001.

JIANG, W. et al. Depression and increased myocardial ischemic activity in patients with ischemic heart disease. *American Heart Journal*, n. 146, p. 55-61, 2003.

LEIBOVICI, L. Effects of remote, retroactive intercessory prayer on outcomes in patients with bloodstream infection: randomized controlled trial. *British Medical Journal*, n. 323, p. 1450-1451, 2001.

LYNCH, P.; GALBRAITH, K. M. Panic in the emergency room. *Can J Psychiatry*, n. 48, p. 361-66, 2003.

MAJ, M.; SARTORIUS, N. Transtornos depressivos. Porto Alegre: Artmed, 2005.

MARTINEZ, T. R. L. Manual de condutas clínicas em dislipidemias. *MedLine,* Rio de Janeiro, 2003.

MATTHEWS, K. A; GUMP, B. B.; HARRIS, K. F.; HANEY, T. L.; BAREFOOT, J. C. Hostile behaviors predict cardiovascular mortality among men enrolled in the multiple risk factor intervention trial. *Circulation*, n. 109, p. 66-70, 2004.

McCULLOGH, M. E.; LARSON, D. B. Religion and depression: a review of the literature. *Twin Research*, n. 2, p. 126--36, 1999.

MOREIRA-ALMEIDA, A.; LOTUFO NETO, F.; KOENIG, H. G. Religiosidade e saúde mental: uma revisão. *Revista Brasileira de Psiquiatria*, vol. 28, n. 3, p. 242-50, 2006.

MOSCA, L. et al. Evidence-based guidelines for cardiovascular disease prevention in women: update, *Journal of the American College of Cardiology*, n. 49, p. 1230-1250, 2007.

MUELLER, P. S.; PLEVAK, D. J.; RUMMANS, T. A. Religious involvement, spirituality and medicine: implications for clinical practice. *Mayo Clinic Proceedings*, n. 76, p. 1225--1235, 2001.

MYERS, D. G. On assessing prayer, faith, and health. *Reformed Review*, n. 53, p. 119-26, 2000.

NEWBERG, A. B.; ALAVI, A.; BAIME, M.; POURDEHNAD, M.; SANTANNA, J.; D'AQUILI, E. The measurement of regional cerebral blood flow during the complex cognitive task of meditation: a preliminary SPECT study. *Psychiatry Research Neuroimaging*, n. 106, p. 113-22, 2001.

NUNES, M. A.; APPOLINARIO, J. C.; GALVÃO, A. L.; COUTINHO, W. Transtornos alimentares e obesidade. Porto Alegre: Artmed, 2006.

PICKERING, Thomas G.; DAVIDSON, K.; SHIMBO, D. Is depression a risk factor for coronary heart disease? *Journal of the American College of Cardiology*, vol. 44, n. 2, p. 472-73, 2004.

PUCHALSKI, C. M.; LARSON, D. P.; LU, F. G. Spirituality in psychiatry residency training programs. *International Review of Psychiatry*, n. 13, p. 131-38, 2001.

RAMOS, D. G. *A psique do coração*. São Paulo: Cultrix, 1990.

ROSENBERG, E. et al. Linkages between facial expressions of anger and transient myocardial ischemia in men with coronary artery disease. *Emotion*, 2001, p. 107-15.

ROZANSKI, A. et al. The epidemiology, pathophysiology and manangement of psychosocial risk factors in cardiac pratice. *Journal of the American College of Cardiology*, n. 45, p. 637-51, 2005.

SAVIOLI, R. M. *Milagres que a medicina não contou*. São Paulo: Gaia, 2004.

_____. *Depressão: onde está Deus?* São Paulo: Gaia, 2004.

_____. *Curando corações*, São Paulo: Gaia, 2005.

_____. *Fronteira da ciência e da fé*. São Paulo: Gaia, 2006.

_____. Oração e cura: fato ou fantasia. *O Mundo da Saúde*, n. 31, p. 281, 2007.

SLOAN, R. P.; BAGIELLA, E.; POWEL, T. Religion, spirituality, and medicine. *The Lancet*, n. 353, p. 66-67, 1999.

STEPTOE, A.; FELDMAN, P. J.; KUNZ, S.; OWEN, N.; WILLEMSEN, G.; MARMOT, M. Stress responsivity and socioeconomic status. A mechanism for increased cardiovascular disease risk? *European Heart Journal*, n. 23, p. 1.757-1.763, 2002.

STONEY, C. M; ENGEBRETSON, T. O. Plasma homocysteine concentrations are positively associated with hostility and anger. *Life Sciences*, n. 66, p. 2267-2275, 2000.

STÖRK, S.; VAN DER SCHOUW, Y. T.; GROBBEE, D. E.; BOTS, M. L. Estrogen, inflammation and cardiovascular risk in women: a critical appraisal. *Trends in Endocrinology and Metabolism*, vol. 15, n. 2, p. 66-72, 2004.

STRIKE, P. C.; STEPTOE, A. Systematic review of mental stress-induced myocardial ischemia. *European Heart Journal*, vol. 24, p. 690, 2003.

_____. Psychosocial factors in the development of coronary artery disease. *Progress in Cardiovascular Diseases*, n. 46, p. 337-47, 2004.

STUART-HAMILTON, I. *A psicologia do envelhecimento*. Porto Alegre: Artmed, 2002.

VIEWEG, W. V. R.; DOUGHERTY, L. M.; BERNARDO, N. L. Mental stress and the cardiovascular system, part VI. Chronic mental stress and cardiovascular disease: Psychosocial Factors. *Medical Update for Psychiatrists*, vol. 3, p. 82, 1998.

WORTHINGTON, E. L.; WITVLIET, C. V.; LERNER, A.; SCHERER, M. J. Forgiveness in health research and medical practice. *Explore*, vol. 1, p. 169-76, 2005.